FINDEFIX
Wörterbuch für die Grundschule

5., überarbeitete und erweiterte Auflage

von
Johann Fackelmann
Robert Müller
Klaus Patho
Susanne Patho

illustriert von
Aille Hardy

mit lateinischer Ausgangsschrift
und Bild-Wörterbuch Französisch

Oldenbourg

Dieses Werk berücksichtigt die seit 2006 gültigen
Regelungen der Rechtschreibung.

Das Papier ist aus chlorfrei gebleichtem Zellstoff hergestellt,
ist säurefrei und recyclingfähig.

www.oldenbourg-bsv.de

5., überarbeitete und erweiterte Auflage 2006 R06

Unveränderter Nachdruck 10 09 08 07 06
Die letzte Zahl bezeichnet das Jahr des Drucks.

Lektorat: Ute Busche, Ursula Händl-Sagawe, Sylvia Bernard-Dronia
Layout und Herstellung: Aille Hardy, Thomas Rein, Stefanie Bruttel
Umschlagkonzept: Mendell & Oberer, München
Satz und Reproarbeiten: artesmedia GmbH, München
Druck und Bindearbeiten: Vorarlberger Verlagsanstalt, A-Dornbirn

ISBN 3-486-**00308**-9
ISBN 978-3-486-**00308**-6 (ab 1.1.2007)
ISBN 978-3-637-**00308**-8 (ab 1.1.2009)

Fä Fau

fair
der **Fan**
das **Foul**

Gä Gre

der **Gag**
der **Gameboy**
der **Gangster**
die **Grapefruit**

Hä

das **Handy**
happy sein

I

die **E-Mail**

Ki Ku

das **Keyboard**
cool

Lei Leu

die **Livesendung**
die **Loipe**

Mä Mau

das **Match**
das **Mountainbike**

Pu

der **Pool**

Rau Ri

der **Rowdy**
das **Recycling**

Sä Sau

das **Sandwich**
der **Sound**

Sch

der **Champignon**
die **Chance**
der **Chef**
die **Chefin**
das **Gelee**
sich **genieren**
die **Jalousie**
jonglieren
der **Journalist**
die **Journalistin**
die **Jury**

Sch

das **Shampoo**
der **Sheriff**
das **Shirt**
die **Shorts**
die **Show**

Sö Swä

surfen
das **Sweatshirt**

Ti

das **Team**
das **T-Shirt**

Tsch

das **Cello**
der **Champion**
der **Charterflug**
checken
der **Chip**

Wok

der **Walkman**

Inhaltsverzeichnis

So kannst du mit diesem Wörterbuch arbeiten

1. Hallo, ich heiße Findefix. Ich bin ein Dodo und lebte auf Mauritius, einer großen Insel im Indischen Ozean. Ich versuche, dir an vielen Stellen zu helfen.

2. Das Nachschlagen im ersten Wörterverzeichnis ist leicht. Interessante Aufgaben dazu findest du auf den Seiten 6 bis 8.

3. Das Nachschlagen im zweiten Wörterverzeichnis (Seite 49 bis 173) ist schwieriger. Deshalb findest du auf den Seiten 44 bis 48 besondere Hilfen.

4. Manche Wörter werden anders geschrieben, als du vermutest. Im Umschlag vorne stehen Hinweise, wie du diese Wörter trotzdem sicher findest.

5. Wichtige Hinweise für das richtige Schreiben sind im Umschlag hinten zusammengestellt.

6. Im blauen und im roten Wörterverzeichnis haben einige Wörter
   Sternchen: ✶ oder ✶
   Sie weisen dich auf etwas hin. Woran du denken sollst, steht unten auf der jeweiligen Seite.

7. Die Zahlen hinter den Wörtern weisen auf besondere Übungen auf den Seiten 180 bis 200 hin. Durch diese Übungen wirst du sicher im richtigen Schreiben.

8. Wie du die Wörter trennen kannst, zeigen dir die senkrechten Striche in den Wörtern im roten Wörterverzeichnis, zum Beispiel:
   das **Kro|ko|dil**, die Krokodile
   Im Umschlag hinten findest du die wichtigsten Trennungsregeln.

9. Partnerspiele zum Hören, Sprechen, Schreiben und Nachdenken mit dem Wörterbuch findest du auf den Seiten 174 bis 176. Viel Spaß beim Spielen!

10. Wie du dir eine Rechtschreibkartei anlegen und mit ihr arbeiten kannst, erfährst du auf den Seiten 177 bis 179.

11. Auf den Seiten 201 bis 214 findest du Hinweise, wie du einen Text schreiben und überarbeiten kannst.

12. Mit der Reimwörterliste (Seite 215 bis 227) kannst du eigene Gedichte schreiben. Du prägst dir damit auch die Schreibweise dieser Wörter leichter ein.

13. Im Bild-Wörterbuch Französisch sind Wörter und Satzmuster zu wichtigen Themen zusammengestellt. Auch Spielideen kannst du dort entdecken.

14. Willst du dich über Laute, Wortarten, Satzglieder oder Satzzeichen informieren? Im Grammatikteil auf den Seiten 254 bis 263 kannst du nachschlagen.

Wir lernen nachschlagen

1 Lerne das ABC-Gedicht auswendig.

A B C D E,
der Hase frisst gern Klee.
F G H I J K L,
das Kätzchen hat ein
weiches Fell.
M N O P Qu,
unser Hund bellt immerzu.
R S T,
das scheue Reh,
U V W,
trinkt am See.
X Y Z,
der Bär
ist lieb und nett.

2 Welche Buchstaben sind nicht zu sehen? Schreibe das ABC in großen und kleinen Buchstaben auswendig auf.

3 Löse die ABC-Rätsel.

Ich bin das I. Wer steht hinter mir?
Ich bin das H. Wer steht vor mir?
Ich stehe zwischen G und L und bin ein Selbstlaut.

4 Suche die Nachbarbuchstaben zu:

C L R W F

Schreibe so: B C D

5 Welche vier Buchstaben stehen nach diesen Buchstaben?

T Qu L G

Schreibe so: T U V W X

6 Benutze für die folgenden Übungen nur das erste Wörterverzeichnis.
Auf welcher Seite findest du die Wörter mit:

C I N A G
U H

Schreibe so: C → Seite 14

7 Auf welcher Seite stehen die Wörter, die so beginnen?

Schreibe so:

bi → Seite 12

8 Suche die Namen der Tiere, die so beginnen:

Ka En Hu Vo Mau

Schreibe so:

Katze → Seite 25

9 Wie heißen die zwei Wörter, die **nach** diesen Wörtern stehen?

bitten tragen sagen
Oktober Messer
Januar essen

Schreibe so:

bitten, das Blatt, blau

10 Zwei von diesen Wörtern stehen nicht im ersten Wörterverzeichnis. Schreibe alle anderen auf.

Bein	trinken	können
schnell	Papier	malen
kaufen	selten	kurz
warm	essen	versuchen

11 Wie heißt das erste Wort im Wörterbuch, das so anfängt?

tr- ve-
Fe- re- do-
br- kl-

Schreibe so:

Fe → der Februar

12 Schreibe alle Monatsnamen mit der Seitenzahl auf.

Schreibe so:

der Januar → Seite 24
der ...

13 Prüfe nach, welche Wörter großgeschrieben werden.
Schreibe sie mit Begleiter auf:

ABEND	OFT
LEICHT	SEIFE
DEZEMBER	MINUTE
TEUER	WINTER
ALLE	LEUTE
SCHNELL	VERSUCHEN

Schreibe so:

der Abend → Seite 10

14 Wie heißt die Mehrzahl dieser Wörter?

Apfel   Ball   Hund   Maus

Baum   Gras   Vater

Schreibe so:

der Apfel → die Äpfel

15 Wie findest du diese Namenwörter?

Wörter   Blätter   Bücher

Hände   Vögel   Plätze   Ohren

Schreibe so:

die Wörter – das Wort

16 Hier sind drei Seitenzahlen falsch. Suche die richtigen Seitenzahlen:

das Buch	→	S. 13
der Zahn	→	S. 43
immer	→	S. 18
der Mittwoch	→	S. 27
die Puppe	→	S. 30
der Juli	→	S. 18
der Sommer	→	S. 35
der Dienstag	→	S. 16
uns	→	S. 34

17 In diesen Wörtern fehlen Buchstaben. Schlage die Wörter nach und schreibe sie vollständig auf:

antworten

an worten	das Br t
das Gel	schwa
z len	der San
der Fi er	die E de
die Bl tter	der Schn
wa ten	

Erstes Wörterverzeichnis

A

ab	*ab morgen*
der **Abend**, die Abende	*am Abend*
aber	*Er geht, aber sie bleibt.*
acht	*um acht Uhr*
alle, alles	*alle Kinder*
als	*Sie ist größer als ich.*
also ✱	*Es geht also.*
alt, älter ✱	*Er ist sehr alt.*
am	*am Morgen*
die **Ampel**, die Ampeln	*an der Ampel warten*
an	*an einem Morgen*
antworten, er antwortet	*auf Fragen antworten*
der **Apfel**, die Äpfel	*einen Apfel essen*
der **April**	*im April*
arbeiten, er arbeitet	*lange arbeiten*
der **Arm**, die Arme ✱	*auf den Arm nehmen*
der **Ast**, die Äste ✱	*auf einem Ast sitzen*

✱ Sprich deutlich. Schreibe für jeden Laut einen Buchstaben. ✱

	auf ★	*auf Mutter warten*
die	Aufgabe, die Aufgaben ★	*eine Aufgabe rechnen*
das	Auge, die Augen ★	*mit einem Auge schauen*
der	August ★	*im August*
	aus ★	*Blumen aus dem Garten*
das	Auto, die Autos ★	*im Auto sitzen*

★ Für manche Laute musst du **zwei** Buchstaben schreiben. ★

A B C D E F G H I J K L M N O P Q R S T U V W X Y Z

B

das **Baby**, die Babys	*das Baby wickeln*
baden, er badet ✱	*im See baden*
der **Ball**, die Bälle	*Der Ball rollt.*
die **Bank**, die Bänke	*auf einer Bank sitzen*
der **Bauch**, die Bäuche	*auf dem Bauch schlafen*
bauen, er baut ✱	*ein Haus bauen*
der **Baum**, die Bäume	*auf den Baum klettern*
bei	*Du bist bei mir.*
das **Bein**, die Beine	*sich ein Bein brechen*
bewegen, er bewegt ✱	*den Arm bewegen*
bezahlen, er bezahlt ✱	*viel Geld bezahlen*
die **Biene**, die Bienen	*eine Biene hören*
das **Bild**, die Bilder	*ein Bild malen*
bin	*Ich bin müde.*
die **Birne**, die Birnen	*eine Birne essen*

✱ Achte auf den Wortbaustein **-en**. ✱

B

bis	*bis hierher*
bist	*Du bist mein Freund.*
bitten, er bittet	*um Hilfe bitten*
das Blatt, die Blätter	*ein Blatt finden*
blau	*Das Auto ist blau.*
bleiben, er bleibt	*lange bleiben*
blühen, er blüht	*Die Bäume blühen.*
die Blume, die Blumen	*eine Blume pflücken*
die Blüte, die Blüten	*eine Blüte bestäuben*
der Boden, die Böden	*auf dem Boden liegen*
böse	*der böse Wolf*
braun	*braun wie die Erde*
der Brief, die Briefe	*einen Brief schreiben*
bringen, er bringt	*ins Haus bringen*
das Brot – das Brötchen	*ein Brot kaufen*
der Bruder, die Brüder ✱	*mein großer Bruder*
das Buch, die Bücher	*im Buch lesen*
bunt	*bunt anmalen*
der Busch, die Büsche	*im Busch verstecken*

✱ Achte auf den Wortbaustein **-er**. ✱

C

der **Cent,** die Cents ✱ — *zwei Cent bezahlen*

der **Christbaum,** die Christbäume — *den Christbaum schmücken*

das **Christkind** — *auf das Christkind warten*

der **Computer,** die Computer ✱ — *am Computer arbeiten*

✱ **C** am Wortanfang wird verschieden gesprochen. ✱

D

da	Er ist da.
danken, er dankt	Wir danken dir.
dann	Aber dann lese ich.
das	das Buch
dass	sich freuen, dass es schneit
dein, deine, deiner	dein Ball
dem	dem Tier helfen
den ★	den Hund rufen
denken, er denkt	an den Freund denken
denn ★	Was willst du denn?
der	der Vater
des	das Kätzchen des Nachbarn
der Dezember	im Dezember
dich	Ich suche dich.

★ Sprich deutlich. Unterscheide: de**n** – de**nn**. ★

D

	die	*die Mutter*
der	**Dienstag**	*am Dienstag*
	diese, dieser, dieses	*Wem gehört diese Tasche?*
	dir ✱	*Wir helfen dir.*
	doch	*Ich komme doch.*
der	**Donnerstag**	*am Donnerstag*
	drei	*drei Fenster*
	du	*so groß wie du*
	dunkel	*dunkel oder hell*
	durch	*durch die Tür kommen*

✱ Du sprichst **i** lang, schreibst aber nicht **ie**. ✱

das **Ei**, die Eier	*ein frisches Ei*
ein, eine, einer	*ein Pferd*
eins	*eins, zwei, drei*
elf	*um elf Uhr*
die **Eltern**	*die Eltern fragen*
das **Ende** ✱	*Anfang und Ende*
eng	*eine enge Hose*
die **Ente**, die Enten ✱	*Die Ente schwimmt.*
er	*Hier sitzt er.*
die **Erde**	*auf der Erde*
es	*Ich kann es.*
essen, er isst	*Brot essen*
euch	*mit euch reden*
euer, eure	*euer Haus*
die **Eule**, die Eulen	*Die Eule heult.*
der **Euro**, die Euros	*mit einem Euro bezahlen*

✱ Unterscheide: das En**d**e – die En**t**e. ✱

	fahren, er fährt	*Rad fahren*
	fallen, er fällt	*Die Blätter fallen.*
die	**Familie**, die Familien	*unsere Familie*
	fangen, er fängt	*den Ball fangen*
der	**Februar**	*im Februar*
	fein	*fein schmecken*
das	**Feld**, die Felder	*auf dem Feld arbeiten*
das	**Fenster**, die Fenster	*das Fenster öffnen*
	finden, er findet	*den Weg finden*
der	**Finger**, die Finger	*zehn Finger*
die	**Fliege** – fliegen	*eine Fliege fangen*
	fliegen, er fliegt	*Die Vögel fliegen.*
der	**Flügel**, die Flügel ✱	*mit den Flügeln schlagen*
	flüssig	*flüssig lesen*
	fragen, er fragt	*den Opa fragen*
die	**Frau**, die Frauen	*Frau Schumann*
der	**Freitag**	*am Freitag*
	fremd – die Fremde	*sich fremd fühlen*

✱ Achte auf den Wortbaustein **-el**. ✱

A B C D E F G H I J K L M N O P Q R S T U V W X Y Z

die **Freude** – sich freuen	*vor Freude strahlen*
sich **freuen,** er freut sich ✱	*Wir freuen uns.*
der **Freund,** die Freunde	*mein Freund*
die **Freundin,** die Freundinnen	*deine Freundin*
frisch	*Das Brot ist frisch.*
die **Frucht,** die Früchte	*eine Frucht pflücken*
der **Frühling**	*den Frühling erwarten*
füllen, er füllt ✱	*die Taschen füllen*
der **Füller** – füllen	*mit dem Füller schreiben*
fünf	*fünf Finger*
für	*ein Fest für uns*
der **Fuß,** die Füße	*zu Fuß gehen*

✱ Achte auf den Wortbaustein **-en**. ✱

G

	ganz, ganze, ganzer	*ganz leise*
der	**Garten**, die Gärten	*im Garten spielen*
	geben, er gibt ✱	*die Hand geben*
	gehen, er geht ✱	*schnell gehen*
	gelb	*Das Auto ist gelb.*
das	**Geld**	*Geld wechseln*
das	**Gemüse**	*Gemüse essen*
das	**Gesicht**, die Gesichter	*ein ernstes Gesicht*
	gestern	*heute und gestern*
	gesund – die Gesundheit	*Er ist gesund.*
	giftig	*Der Pilz ist giftig.*
das	**Gras**, die Gräser	*im Gras liegen*
	groß, größer	*groß oder klein*
	grün	*Der Apfel ist grün.*
	gut	*Das war gut.*

✱ Achte auf den Wortbaustein **-en**. ✱

das **Haar**, die Haare	*am Haar ziehen*
haben, er hat	*einen Freund haben*
der **Hals** ✱	*ein langer Hals*
halten, er hält	*den Ball halten*
die **Hand**, die Hände	*in der Hand tragen*
hart, härter	*Der Stein ist hart.*
der **Hase**, die Hasen	*mein Hase*
das **Haus**, die Häuser	*ein altes Haus*
die **Haut**, die Häute	*eine glatte Haut*
die **Hecke**, die Hecken	*die Hecke schneiden*
heiß	*Das Wasser ist heiß.*
heißen, er heißt	*Barbara heißen*
helfen, er hilft	*in der Küche helfen*
hell	*hell wie die Sonne*
das **Hemd**, die Hemden	*ein frisches Hemd anziehen*
her	*hin und her laufen*
der **Herbst**	*ein kalter Herbst*

✱ Denke an das Reimwort **als**. ✱

He bis hu

der **Herr**, die Herren	*Herr Müller*
heute	*heute und morgen*
die **Hexe**, die Hexen	*die Hexe im Märchen*
hier	*Sie ist hier.*
die **Hilfe** – helfen	*Hilfe holen*
der **Himmel**	*ein blauer Himmel*
hin	*hin und her*
hinter	*hinter dem Haus*
hören, er hört	*den Regen hören*
die **Hose**, die Hosen	*eine Hose anziehen*
der **Hund**, die Hunde ✱	*den kleinen Hund tragen*
hundert	*hundert Gäste*

✱ Denke an die Reimwörter **und**, M**und**. ✱

ich	Du liest, ich schreibe.
der Igel, die Igel	einen Igel finden
ihm ✱	Wir helfen ihm.
ihn, ihnen ✱	Ich treffe ihn.
ihr, ihre	Wir helfen ihr.
im ✱	im Sommer
immer	immer weiter
in ✱	in den Garten gehen
ins	ins Bett gehen
ist	Es ist schön.

✱ Unterscheide: **ihm** – **im** und **ihn** – **in**. ✱

ja	*ja oder nein*
das **Jahr,** die Jahre	*viele Jahre*
der **Januar**	*im Januar*
jede, jeder, jedes	*jede Stunde*
der **Juli**	*im Juli*
der **Junge,** die Jungen	*ein großer Junge*
der **Juni**	*im Juni*

Suche die drei Monatsnamen.

der **Käfer**, die Käfer	*einen Käfer beobachten*
der **Kalender**, die Kalender	*im Kalender eintragen*
kalt – die Kälte	*Mir ist kalt.*
die **Katze**, die Katzen	*eine Katze streicheln*
kaufen, er kauft	*Blumen kaufen*
kein, keine, keiner	*kein Wort sagen*
das **Kind**, die Kinder	*einem Kind helfen*
die **Klasse**, die Klassen ✱	*eine große Klasse*
das **Kleid**, die Kleider	*ein buntes Kleid tragen*
klein ✱	*groß oder klein*
kommen, er kommt	*ins Haus kommen*
können, er kann	*lesen können*
der **Kopf**, die Köpfe	*auf dem Kopf stehen*
der **Körper**, die Körper	*ein gesunder Körper*
krank	*Er ist krank.*
das **Kraut**, die Kräuter	*Kraut und Rüben*
die **Kuh**, die Kühe	*eine Kuh melken*

✱ Auf jeden Buchstaben kommt es an: **Klasse – Kasse, klein – kein.** ✱

A B C D E F G H I J K L M N O P Q R S T U V W X Y Z

laufen, er läuft ★	*schnell laufen*
laut	*laut lachen*
leben, er lebt ★	*gesund leben*
legen, er legt ★	*sich ins Gras legen*
leicht	*Die Aufgabe ist leicht.*
leise	*leise sprechen*
lernen, er lernt ★	*etwas lernen*
lesen, er liest ★	*einen Brief lesen*
die **Leute**	*viele Leute treffen*
das **Lexikon**	*im Lexikon suchen*
das **Licht**, die Lichter	*helles Licht*
lieb – lieben	*lieb sein*
liegen, er liegt ★	*im Gras liegen*

★ Achte auf den Wortbaustein **-en**. ★

	machen, er macht	*Wir machen mit.*
das	**Mädchen**, die Mädchen	*ein Mädchen oder Junge*
der	**Mai**	*im Mai*
	malen, er malt	*ein Bild malen*
	man	*Töne kann man hören.*
der	**Mann**, die Männer	*ein großer Mann*
der	**März**	*im März*
die	**Maus**, die Mäuse	*eine Maus sehen*
	mein, meine	*mein Buch*
das	**Messer**, die Messer	*Messer und Gabel*
	mich	*Sie kennt mich.*
die	**Minute**, die Minuten	*vor einer Minute*
	mir	*Er schreibt mir.*
	mit	*Alle kommen mit.*
der	**Mittwoch**	*am Mittwoch*
der	**Monat**, die Monate	*in einem Monat*
der	**Montag**	*am Montag*
	morgen	*bis morgen warten*
der	**Mund**	*mit vollem Mund reden*
	müssen, er muss	*Wir müssen lachen.*
die	**Mutter**, die Mütter	*meine Mutter*

nach	nach der Schule
die **Nacht**, die Nächte	in der Nacht
der **Name**, die Namen ★	Mein Name ist Lea.
die **Nase**, die Nasen ★	eine rote Nase
nass	trocken oder nass
der **Nebel** ★	dichter Nebel
nehmen, er nimmt	Wir nehmen dich mit.
nein	ja oder nein
neu	alt oder neu
neun	neun Kinder
nicht	Ich bin nicht da.
nichts	nichts verstehen
nie	Sie hat nie Zeit.
der **November**	im November
nun ★	Ich muss nun gehen.
nur ★	nur eine Stunde

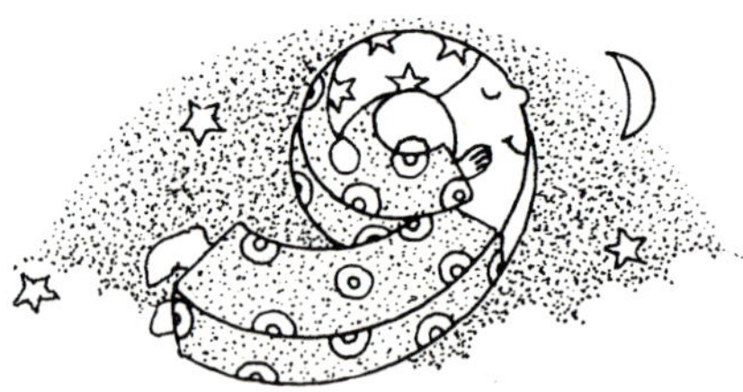

★ Schreibe für jeden Laut einen Buchstaben. ★

O

ob	Sag mir, ob du kommst.
das Obst	Obst essen
oder	ja oder nein
oft	Ich muss oft lachen.
das Ohr, die Ohren	ans Ohr halten
der Oktober	im Oktober
der Onkel, die Onkel ✱	den Onkel besuchen
Ostern	Frohe Ostern!

✱ Achte auf den Wortbaustein **-el**. ✱

A B C D E F G H I J K L M N O P Q R S T U V W X Y Z

das **Papier**, die Papiere	*das Papier aufheben*
das **Pferd**, die Pferde	*ein Pferd reiten*
pflanzen, er pflanzt	*einen Baum pflanzen*
pflegen, er pflegt	*eine Kranke pflegen*
die **Pizza** ✱	*eine Pizza bestellen*
der **Platz**, die Plätze	*ein großer Platz*
die **Pommes**	*Pommes bestellen*
die **Puppe**, die Puppen	*mit der Puppe spielen*

✱ Nur in ganz wenigen Wörtern kommt **zz** vor. ✱

Qu

das **Quadrat,**
die Quadrate ✱

quaken, er quakt ✱

ein Quadrat zeichnen

Frösche quaken

✱ Du sprichst (**kw**), aber schreibst **Qu** oder **qu**. ✱

R

die **Raupe**, die Raupen	*eine Raupe finden*
rechnen, er rechnet ★	*schnell rechnen*
reden, er redet ★	*schnell reden*
der **Regen** ★	*im Regen stehen*
reich	*arm oder reich*
reisen, er reist ★	*mit dem Bus reisen*
der **Rock**, die Röcke	*einen Rock anziehen*
rollen, er rollt ★	*den Ball rollen*
rot	*blau oder rot*
der **Rücken**, die Rücken	*auf dem Rücken liegen*
rufen, er ruft ★	*laut rufen*

★ Achte auf den Wortbaustein **-en**. ★

der **Saft**, die Säfte	*einen Saft trinken*
sagen, er sagt	*etwas sagen*
das **Salz**	*mit Salz würzen*
der **Samstag**	*am Samstag*
der **Sand** – sandig	*feiner Sand*
der **Satz**, die Sätze	*einen Satz schreiben*
schauen, er schaut	*in den Spiegel schauen*
scheinen, es scheint	*Die Sterne scheinen.*
die **Schere**, die Scheren	*mit der Schere schneiden*
schlafen, er schläft	*lang schlafen*
schlagen, er schlägt	*ein Rad schlagen*
der **Schmetterling**, die Schmetterlinge	*ein bunter Schmetterling*
der **Schnee**	*im Schnee spielen*
schneiden, er schneidet	*Brot schneiden*
schnell	*schnell laufen*
schon	*schon früh gehen*
schön	*Das Wetter ist schön.*
schreiben, er schreibt	*schön schreiben*
schreien, er schreit	*laut schreien*
der **Schuh**, die Schuhe	*Der Schuh drückt.*

die **Schule**, die Schulen	*in die Schule gehen*
schwarz	*weiß oder schwarz*
die **Schwester**, die Schwestern	*meine Schwester*
sechs	*sechs Kinder*
sehen, er sieht	*schlecht sehen*
sehr	*sehr gut*
die **Seife**, die Seifen	*mit Seife waschen*
sein	*gesund sein*
sein, seine	*sein Buch*
seit	*seit gestern*
die **Sekunde**, die Sekunden	*in dieser Sekunde*
der **September**	*im September*
sich	*sich freuen*
sie	*Heute kommt sie dran.*
sieben	*sieben Zwerge*
sind	*Wir sind hier.*
singen, er singt	*ein Lied singen*
sitzen, er sitzt	*im Sessel sitzen*
so	*so leise*
der **Sohn**, die Söhne	*der älteste Sohn*

sollen, er soll	*Wir sollen gehen.*
der Sommer	*ein heißer Sommer*
die Sonne	*Die Sonne scheint.*
der Sonntag	*am Sonntag*
die Spagetti ✶	*Spagetti essen*
sparen, er spart ✶	*Geld sparen*
spielen, er spielt ✶	*Ball spielen*
der Sport ✶	*Sport treiben*
der Stängel – die Stange ✶	*ein langer Stängel*
stehen, er steht ✶	*vor der Tür stehen*
stellen, er stellt ✶	*die Uhr stellen*
der Stift, die Stifte ✶	*mit rotem Stift schreiben*
still ✶	*Es ist ganz still.*
die Stirn ✶	*die Stirn runzeln*
der Strauch, die Sträucher ✶	*im Strauch verstecken*
die Stunde, die Stunden ✶	*vor einer Stunde*
suchen, er sucht	*das Buch suchen*

✶ Du sprichst **schp** und **scht**, aber schreibst **Sp** oder **sp** und **St** oder **st.** ✶

der **Tag**, die Tage	Tag und Nacht
die **Tante**, die Tanten	meine Tante besuchen
die **Tasche**, die Taschen	in die Tasche stecken
der **Teddy**, die Teddys	mit dem Teddy spielen
der **Tee**	Tee trinken
das **Telefon**, die Telefone	ans Telefon gehen
die **Temperatur**, die Temperaturen	Die Temperatur fällt.
teuer ✱	Es ist zu teuer.
das **Thermometer**, die Thermometer ✱	vom Thermometer ablesen
das **Tier**, die Tiere	ein Tier pflegen
die **Tochter**, die Töchter ✱	die jüngste Tochter
tragen, er trägt	eine Tasche tragen
trinken, er trinkt	Saft trinken
turnen, er turnt	am Boden turnen

✱ Achte auf den Wortbaustein **-er**. ✱

üben, er übt ✱	*oft üben*
über	*über den Platz gehen*
die **Uhr**, die Uhren	*die Uhr stellen*
um	*um acht Uhr*
und	*schwarz und weiß*
uns	*zu uns kommen*
unser, unsere	*unser Hund*
unten ✱	*unten im Keller*
unter	*unter der Erde*

✱ Achte auf den Wortbaustein **-en**. ✱

A B C D E F G H I J K L M N O P Q R S T U V W X Y Z

V

der **Vater**, die Väter ✱	*mein Vater*
der **Verkehr**	*viel Verkehr*
versuchen, er versucht	*Wir versuchen, zu kommen.*
viel	*viel Geld kosten*
vier	*vier Bäume*
der **Vogel**, die Vögel ✱	*Ein Vogel fliegt.*
vom	*vom Himmel fallen*
von	*weit von hier*
vor	*Ich stehe vor dir.*

✱ Achte auf die Wortbausteine **-er** und **-el**. ✱

W

	wann	Sag, wann du anrufst.
	warm – die Wärme	warm oder kalt
	warten, er wartet	auf den Bus warten
	warum	Sie sagt, warum sie weint.
	was	Er sagt, was er will.
	waschen, er wäscht	Wäsche waschen
das	Wasser ✱	im Wasser liegen
der	Weg, die Wege	ein schmaler Weg
	Weihnachten	fröhliche Weihnachten
	weil	Er freut sich, weil ich hier bin.
	weiß	schwarz oder weiß
	weit	weit oder nah
	weiter ✱	Lies weiter.
	welche, welcher, welches	durch welche Tür
	wem	Mit wem spielst du?
	wen	An wen denkst du?
	wenig	wenig Zeit
	wenn	Ich komme, wenn ich darf.
	wer	Sie fragt, wer hier ist.
	werden, er wird	gesund werden

✱ Achte auf den Wortbaustein **-er**. ✱

W

das **Wetter**	schönes Wetter
wie	so groß wie du
wieder	Komm bald wieder!
die **Wiese**, die Wiesen	auf der Wiese liegen
der **Wind**, die Winde	ein kalter Wind
der **Winter**	ein Winter mit Schnee
wir ✶	Nun sind wir da.
wo	Susi, wo bist du?
die **Woche**, die Wochen	eine Woche lang
wohnen, er wohnt	im Zelt wohnen
wollen, er will	Wir wollen schwimmen.
das **Wort**, die Wörter	ein Wort sagen
wünschen, er wünscht	Wir wünschen uns etwas.
die **Wurzel**, die Wurzeln	eine Wurzel ausgraben

✶ Du sprichst **i** lang, schreibst aber nicht **ie**. ✶

Xaver

X

Er heißt Xaver.

y

Ypsilon

der Buchstabe Ypsilon

die **Zahl**, die Zahlen ✱	*eine gerade Zahl*
zahlen, er zahlt ✱	*mit Euro zahlen*
zählen, er zählt ✱	*bis drei zählen*
der **Zahn**, die Zähne ✱	*Der Zahn wackelt.*
die **Zehe**, die Zehen	*die große Zehe verletzen*
zehn ✱	*zehn Finger*
zeigen, er zeigt	*den Weg zeigen*
die **Zeit**, die Zeiten	*die Zeit messen*
das **Zimmer**, die Zimmer	*im Zimmer warten*
zu	*Ich komme zu euch.*
der **Zucker**	*süß wie Zucker*
zum	*zum Freund gehen*
zur	*zur Tür laufen*
zusammen	*Das machen wir zusammen.*
zwei	*zwei Kinder*
die **Zwiebel**, die Zwiebeln	*eine Zwiebel schneiden*
zwölf	*zwölf Stühle*

✱ Achte auf das **h**. ✱

Tipps für schnelles und sicheres Nachschlagen

Tipp 1: Blättere dein Wörterbuch schnell durch und achte dabei auf die **Seitenränder.** Was fällt dir auf?

Tipp 2: Schlage die Seiten mit dem Buchstaben M auf. Suche auf diesen Seiten **ma** und **mi**.
Welche **roten** Buchstaben findest du noch bei M?
Vergleiche die roten Buchstaben mit den Wörtern auf dieser Seite.
Was kannst du feststellen?

Tipp 3: Aufgepasst!
Manche Wörter haben
Sternchen: ✶
Sie weisen dich auf Hilfen hin.
Schlage Seite 82 auf.
Welche Hilfe findest du?

Tipp 4: Einzahl und Mehrzahl des Namenwortes (Nomens) stehen hintereinander:

das **Buch**, die Bücher

Einige Namenwörter stehen nur in der Einzahl im Wörterbuch.
Bei diesen Wörtern kannst du die Mehrzahl leicht selbst bilden.
Manchmal steht aber die Mehrzahl auch nicht im Wörterbuch, weil es sie nicht gibt, zum Beispiel bei:

das **Laub**

Tipp 5: Nicht alle zusammengesetzten Wörter stehen im Wörterbuch. Viele dieser Wörter musst du zerlegen und getrennt nachschauen, z. B.:

Ferienbeginn:
die Ferien – der Beginn

zurückkehren:
zurück – kehren

Tipp 6: Nach manchen Wörtern wird auf verwandte Wörter hingewiesen:

das **Getränk** – trinken
die **Härte** – hart
er **sah** – sehen

Tipp 7: Nach manchen Wörtern steht eine Ergänzung in Klammern. Sie hilft dir, dieses Wort von einem gleich oder ähnlich klingenden Wort zu unterscheiden, zum Beispiel:

die **Lärche** (der Baum)
die **Lerche** (der Vogel)

die **Miene** (mit ernster Miene)
die **Mine** (die Bleistiftmine)

der **Fühler** (beim Käfer)
der **Füller** (zum Schreiben)

Auf den Seiten 228 und 229 sind gleich oder sehr ähnlich klingende, aber verschieden geschriebene Wörter zusammengestellt.

Tipp 8: Hinter vielen Wörtern stehen ein **Pfeil** und eine **Zahl**. Die Zahl weist auf Übungen hin, die du auf den Seiten 180 bis 200 findest.

Tipp 9: Für manche Wörter gibt es mehrere Schreibweisen, die richtig sind. Die zweite Schreibweise steht in **eckigen Klammern**, zum Beispiel:

der **Delphin** [Delfin]

Du findest das Wort aber auch unter:

der **Delfin** [Delphin]

Wenn beide Wörter **dick** gedruckt sind, gibt es im Sprachgebrauch zwei Formen. Das Wort wird oft auch anders getrennt:

kit|ze|lig [kitz|lig]
das **Sel|ter[s]|was|ser**

Tipp 10: Vielleicht suchst du ein Wort nicht an der richtigen Stelle. Die ersten beiden Seiten im Wörterbuch helfen dir, das Wort zu finden.

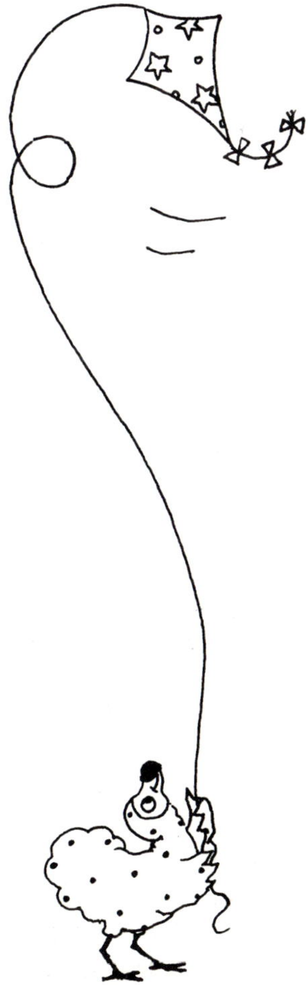

Wir üben schnelles und sicheres Nachschlagen

1 Du hast diese Seite aufgeschlagen:

mi  **mo**

Du suchst das Wort Mehl.
Findest du das Wort auf dieser Seite?
Blätterst du zurück oder weiter?

2 Zu welchen roten Buchstaben passen diese Wörter?

Hase, Heft, Hirsch,
Hitze, heißen, hinterher

hi **he** **ha**

laufen, lieber, Lexikon,
läuten, leichtsinnig, Licht

la **li** **le**

Schreibe so: *ha* *Hase*

3 Welche Wörter sind hier falsch eingeordnet? Schreibe alle Wörter in der richtigen Reihenfolge.

der **Februar**
die **Feder**, die Federn
der **Faden**, die Fäden
fegen, du fegst
der **Fehler**, die Fehler
fehlerlos
die **Fahne**, die Fahnen
die **Feier**, die Feiern

lachen, du lachst
der **Laden**, die Läden
der **Lack**, die Lacke
lackieren, du lackierst
laden, du lädst, er lud
lahm – gelähmt
die **Lakritze**
das **Laken**, die Laken

4 Suche die **Mehrzahl** folgender Namenwörter (Nomen):

der Acker – die Feder – das Gewicht – der Knopf – der Arzt – die Bahn – der Bart – die Nuss – der Mantel – das Volk – der Traum – das Lexikon – der Kahn

Schreibe sie so auf:

Einzahl	Mehrzahl	Seite
der Acker	*die Äcker*	*51*

5 Bilde von folgenden Wörtern die **Einzahl**. Schlage sie nach.

die Söhne	die Kamine
die Lieder	die Jacken
die Ameisen	die Berufe
die Decken	die Lehrer
die Semmeln	die Märkte
die Stämme	die Mützen
die Sprünge	die Noten
die Knöpfe	die Gärten
die Hölzer	die Drähte
die Zähne	

Schreibe sie so auf:

Einzahl	Mehrzahl	Seite
der Sohn	*die Söhne*	*145*

6 Zerlege diese **zusammengesetzten Wörter**. Schlage sie getrennt nach.

die Salatschüssel
das Treppenhaus
der Fußballplatz
die Tischdecke
der Geschäftsschluss
die Verkehrsampel
die Marktfrau
der Fliegenpilz
zitronengelb
windschief
spiegelglatt
eiskalt
spottbillig
kugelrund

das Schwimmbad
der Fragesatz
der Spielplatz
der Fahrstuhl
das Lesebuch
der Malstift
die Rutschgefahr

Schreibe sie so auf:

die Salatschüssel:
der Salat → S. 134
die Schüssel → S. 141
zitronengelb:
die Zitrone → S. □
gelb → S. □
das Schwimmbad:
schwimmen → S. □
das Bad → S. □

7 Stelle fest, auf welcher Seite diese **Tunwörter** (Verben) im Wörterbuch zu finden sind.

beißen – er biss – er hat gebissen – er ging – er kochte – er ist gegangen – kochen – er schrie – sie las – er hat gekocht – fallen – er wuchs – wir krochen – es gelang – gehen – ich unterschied – er fiel – er ist gefallen – wir begannen

Schreibe sie so auf:

beißen, du beißt,
er biss → S. 58
er biss – beißen → S. 62

8 Diese **zusammengesetzten Wörter** findest du nicht im Wörterverzeichnis. Zerlege sie und schaue sie getrennt nach.

anfahren – abfahren – vorfahren – zurückfahren – festfahren – überfahren – durchfahren – wegfahren – hinausfahren – ausfahren – hinüberwerfen – aufschieben – ausschütten – sich etwas vornehmen – überfallen – forttragen – weggeben – vorübergehen – zurückgeben

Schreibe sie so auf:

anfahren:
an → S.□, fahren → S.□

9 Suche **verwandte Wörter**. Schreibe auf, was neben den Wörtern steht.

die Erlaubnis – die Erzählung – der Jäger – der Anhänger – das Geschenk – die Ausstellung – die Behandlung – die Kälte – die Kürze – gesünder – die Fläche – die Härte – die Höhe

Schreibe so auf:

die Erlaubnis – erlauben

Zweites Wörterverzeichnis

A

aa

der **Aal,** die Aale → 12
das **Aas** (der Aasgeier) → 12

ab

ab ✸
das **Ab|blend|licht** – abblenden
das **ABC** [Abc]
der **Abend,** am Abend → 22
abends
das **Aben|teu|er,** die Abenteuer → 18
aben|teu|er|lich → 18
aber
der **Aber|glau|be**
aber|gläu|bisch → 20
die **Ab|fahrt,** die Abfahrten → 12
der **Ab|fall,** die Abfälle → 3
ab|ge|brannt – abbrennen → 5
ab|ge|hetzt – abhetzen → 10
ab|ge|lenkt – ablenken
der **Ab|ge|ord|ne|te,** die Abgeordneten
die **Ab|ge|ord|ne|te**
der **Ab|grund,** die Abgründe → 22
ab|hän|gig sein → 19
sich **ab|här|ten,** du härtest dich ab → 19
das **Abi|tur**
die **Ab|kür|zung** – abkürzen
abon|nie|ren, du abonnierst → 11
der **Ab|satz,** die Absätze → 10
ab|scheu|lich → 18
der **Ab|schied** – sich verabschieden → 11, 22
der **Ab|schnitt** – abschneiden → 9
ab|seits
der **Ab|sen|der** – absenden
die **Ab|sicht,** die Absichten
ab|sicht|lich
der **Ab|stand,** die Abstände → 22
die **Ab|stim|mung** – abstimmen → 4
ab|stür|zen, du stürzt ab
das **Ab|teil,** die Abteile
die **Ab|tei|lung,** die Abteilungen
ab|wärts
die **Ab|wechs|lung** – abwechselnd
ab|we|send
die **Ab|zwei|gung**

ac

ach
die **Ach|se,** die Achsen
die **Ach|sel,** die Achseln
acht, achtmal
ach|ten, du achtest
Acht ge|ben, du gibst Acht [achtgeben, du gibst acht]
die **Ach|tung** – achten
acht|zehn → 13
acht|zig

✸ Denke an Zusammensetzungen mit dem Wortbaustein **ab-**. ✸

äch|zen, du ächzt
der **Acker,** die Äcker → 1
die **Ac|tion**
ad
ad|die|ren, du addierst → 11
die **Ad|di|ti|on** – addieren
ade
die **Ader,** die Adern
das **Ad|jek|tiv,** die Adjektive
der **Ad|ler,** die Adler
adop|tie|ren, du adoptierst → 11
die **Ad|res|se** – adressieren → 8
die **Ad|ria**
der **Ad|vent**
af
der **Af|fe** – nachäffen → 2
Af|ri|ka – afrikanisch
ag
ag|gres|siv
ah
ah|nen, du ahnst → 12
ähn|lich → 19
die **Ähn|lich|keit** → 19
die **Ah|nung** – ahnen → 12
der **Ahorn**
die **Äh|re,** die Ähren
ai
das **Aids**
ak
das **Ak|kor|de|on,** die Akkordeons
der **Ak|ku|sa|tiv**
der **Ak|ro|bat,** die Akrobaten
die **Ak|te,** die Akten
die **Ak|ti|on,** die Aktionen
ak|tiv
ak|tu|ell
al
der **Alarm** – alarmieren
al|bern
der **Alb|traum** [Alptraum]
das **Al|bum,** die Alben
der **Al|ko|hol**
Al|lah
al|le, alles → 3 ★
die **Al|lee,** die Alleen (Birkenallee)
al|lein → 3 ★
al|ler|dings → 3 ★
die **Al|ler|gie,** die Allergien
al|ler|hand → 3 ★
Al|ler|hei|li|gen → 3 ★
Al|ler|see|len → 3 ★
all|ge|mein → 3 ★
all|mäh|lich → 3 ★
die **Alm,** die Almen
die **Al|pen**
das **Al|pha|bet**
al|pha|be|tisch
der **Alp|traum** [Albtraum]
als
al|so
alt, älter, am ältesten
der **Al|tar,** die Altäre

★ Denke an den gemeinsamen Wortstamm. ★

das **Al|ter,** die Alter
äl|ter, am ältesten – alt → 19
die **Al|ter|na|ti|ve** – alternativ
die **Alu|fo|lie,** die Alufolien
das **Alu|mi|ni|um**

am

am
der **Ama|teur,** die Amateure
die **Amei|se,** die Ameisen
Ame|ri|ka – amerikanisch
die **Am|pel,** die Ampeln
die **Am|sel,** die Amseln
das **Amt,** die Ämter
sich **amü|sie|ren,** du amüsierst dich → 11

an

an ✶
die **Ana|nas**
der **An|blick** → 1
die **An|dacht,** die Andachten
an|däch|tig → 19
das **An|den|ken,** die Andenken
an|de|re
än|dern, du änderst → 19
an|ders
an|ei|nan|der
der **An|fall,** die Anfälle → 3
der **An|fang,** die Anfänge
an|fan|gen, du fängst an, er fing an
der **An|fän|ger** – anfangen → 19
die **An|fän|ge|rin** → 19
an|fangs
der **An|ge|ber,** die Angeber
die **An|ge|be|rin**
an|geb|lich
das **An|ge|bot** – anbieten
der **An|ge|klag|te** – anklagen
die **An|ge|klag|te**
die **An|gel** – angeln
an|geln, du angelst
an|ge|nehm → 13
der **An|ge|stell|te** – anstellen → 3
die **An|ge|stell|te** → 3
die **An|ge|wohn|heit** – angewöhnen → 14
an|grei|fen, du greifst an, er griff an
der **An|griff** – angreifen → 2
die **Angst,** die Ängste
ängst|lich – Angst → 19
der **An|hän|ger** – anhängen → 19
an|häng|lich → 19
der **An|ker,** die Anker
an|kreu|zen, du kreuzt an → 18
die **An|kunft** – ankommen
die **An|nah|me** – annehmen → 12
die **An|non|ce,** die Annoncen
der **Ano|rak,** die Anoraks
der **An|ruf** – anrufen
der **An|sa|ger** – ansagen
die **An|sa|ge|rin,** die Ansagerinnen

✶ Denke an Zusammensetzungen mit dem Wortbaustein **an-**. ✶

an|schei|nend
an|schlie|ßend → 11, 16
der **An|schluss,** die Anschlüsse → 8
an|schnal|len, du schnallst an → 3
die **An|schrift** – anschreiben
die **An|sichts|kar|te**
an|stän|dig – Anstand → 19 ✶
an|statt → 9
an|ste|ckend – anstecken → 1
sich **an|stren|gen,** du strengst dich an
die **An|stren|gung** – anstrengend
die **An|ten|ne,** die Antennen → 5
der **An|trag,** die Anträge → 23
die **Ant|wort,** die Antworten
ant|wor|ten, du antwortest
an|wen|den, du wendest an, er wandte an
an|we|send
die **An|zahl** → 12
die **An|zei|ge,** die Anzeigen
der **An|zug,** die Anzüge → 23
an|zün|den, du zündest an

ap

der **Ap|fel,** die Äpfel
das **Ap|fel|mus**
die **Ap|fel|si|ne,** die Apfelsinen
die **Apo|the|ke,** die Apotheken
der **Ap|pa|rat,** die Apparate
das **Ap|par|te|ment**
der **Ap|pe|tit** – appetitlich
der **Ap|plaus**
die **Ap|ri|ko|se,** die Aprikosen
der **Ap|ril**

aq

das **Aqua|ri|um,** die Aquarien
der **Äqua|tor**

ar

Ara|bi|en – arabisch
die **Ar|beit,** die Arbeiten
ar|bei|ten, du arbeitest
ar|beits|los
der **Ar|beits|lo|se,** die Arbeitslosen
die **Ar|beits|lo|se**
der **Ar|chi|tekt,** die Architekten
die **Ar|chi|tek|tin**
arg, ärger, am ärgsten → 23
är|ger, am ärgsten – arg → 19 ✶
der **Är|ger** – ärgern → 19
är|ger|lich → 19
är|gern, du ärgerst → 19
das **Ar|gu|ment** – argumentieren
arm, ärmer, am ärmsten
der **Arm,** die Arme
das **Ar|ma|tu|ren|brett**
der **Är|mel,** die Ärmel → 19 ✶
är|mer, am ärmsten – arm → 19 ✶
die **Ar|mut**
die **Art,** die Arten
ar|tig

✶ Denke an das verwandte Wort mit **a**. ✶

der **Ar|ti|kel,** die Artikel
der **Ar|tist,** die Artisten
die **Ar|tis|tin,** die Artistinnen
die **Arz|nei,** die Arzneien
der **Arzt,** die Ärzte
die **Ärz|tin,** die Ärztinnen → 19

as

die **Asche**
der **Ascher|mitt|woch** → 9
Asi|en – asiatisch
der **As|phalt** – asphaltieren
das **Ass,** die Asse (Spielkarte) → 8
er **aß** – essen → 16
der **As|sis|tent,** die Assistenten
die **As|sis|ten|tin**
der **Ast,** die Äste
die **As|ter,** die Astern
das **Asth|ma**
der **Ast|ro|naut,** die Astronauten
die **Ast|ro|nau|tin**
das **Asyl**
der **Asyl|be|wer|ber**
die **Asyl|be|wer|be|rin**

at

der **Atem** – atemlos
der **Ath|let,** die Athleten
die **Ath|le|tin,** die Athletinnen
der **At|lan|tik**
der **At|las,** die Atlanten [Atlasse]
at|men, du atmest
die **At|mos|phä|re**
das **Atom,** die Atome
das **Atom|kraft|werk**
das **At|test,** die Atteste
die **At|trak|ti|on** – attraktiv

au

auch
auf ✶
auf|dring|lich
auf|ei|nan|der
der **Auf|ent|halt,** die Aufenthalte
auf|fäl|lig – auffallen → 19, 3
auf|for|dern, du forderst auf
auf|fors|ten, es wird aufgeforstet
die **Auf|ga|be** – aufgeben
der **Auf|gang,** die Aufgänge
auf|ge|regt – aufregen
der **Auf|hän|ger** – aufhängen
auf|hö|ren, du hörst auf
auf|merk|sam
die **Auf|merk|sam|keit**
die **Auf|nah|me** – aufnehmen → 12
auf|pas|sen, du passt auf → 8
auf|pral|len, es prallt auf → 3
auf|räu|men, du räumst auf → 20
sich **auf|re|gen,** du regst dich auf
die **Auf|re|gung** – aufregend
der **Auf|satz,** die Aufsätze → 10
der **Auf|schnitt** – aufschneiden → 9
die **Auf|sicht,** die Aufsichten

✶ Nicht alle Zusammensetzungen mit **auf-** stehen hier. ✶

der **Auf|trag,** die Aufträge → 23
der **Auf|tritt** – auftreten → 9
auf|wärts
auf|we|cken, du weckst auf → 1
der **Auf|zug,** die Aufzüge → 23
das **Au|ge,** die Augen
der **Au|gen|blick,** die Augenblicke → 1
die **Au|gen|braue,** die Augenbrauen
das **Au|gen|lid,** die Augenlider → 22
der **Au|gust**
die **Au|la,** die Aulas [Aulen]
aus
aus ✶
aus|bes|sern, du besserst aus → 8
die **Aus|bil|dung** – ausbilden
aus|brei|ten, du breitest aus
die **Aus|dau|er**
der **Aus|druck,** die Ausdrücke → 1
aus|drück|lich → 1
aus|ei|nan|der
der **Aus|flug,** die Ausflüge → 23
aus|führ|lich
die **Aus|ga|be** – ausgeben
aus|ge|ben, du gibst aus, er gab aus
aus|ge|rech|net
aus|ge|zeich|net
aus|gie|big → 11
der **Aus|gleich** – ausgleichen
aus|he|cken, du heckst aus → 1
die **Aus|kunft,** die Auskünfte
das **Aus|land** → 22
der **Aus|län|der,** die Ausländer → 19
die **Aus|län|de|rin** → 19
aus|län|disch → 19
aus|lei|hen, du leihst aus
die **Aus|nah|me** – ausnehmen → 12
aus|nahms|wei|se → 12
der **Aus|puff,** die Auspuffe → 2
die **Aus|re|de,** die Ausreden
aus|rei|chend
der **Aus|rei|ßer** – ausreißen → 16
der **Aus|schlag,** die Ausschläge
aus|schließ|lich → 11, 16
au|ßen → 16
au|ßer → 16
au|ßer|dem → 16
au|ßer|halb → 16
sich **äu|ßern,** du äußerst dich → 20, 16
au|ßer|or|dent|lich → 16
äu|ßerst → 20, 16
die **Aus|sicht,** die Aussichten
aus|sichts|los
der **Aus|sied|ler,** die Aussiedler
die **Aus|sied|le|rin**
die **Aus|stel|lung** – ausstellen → 3
Aust|ra|li|en – australisch
aus|wärts
der **Aus|weis** – sich ausweisen

✶ Denke an Zusammensetzungen mit dem Wortbaustein **aus-**. ✶

aus|wen|dig
der **Aus|zu|bil|den|de,** die Auszubildenden
die **Aus|zu|bil|den|de**

aut

das **Au|to,** die Autos
das **Au|to|gramm,** die Autogramme → 4
der **Au|to|mat,** die Automaten
au|to|ma|tisch
der **Au|tor,** die Autoren
die **Au|to|rin,** die Autorinnen

ax

die **Axt,** die Äxte

B

ba

das **Ba|by,** die Babys
der **Bach,** die Bäche
die **Ba|cke,** die Backen → 1
ba|cken, du backst [bäckst] (Kuchen backen) → 1
der **Bä|cker** – backen → 19, 1
die **Bä|cke|rei** – backen → 19, 1
das **Bad,** die Bäder → 22 ✶
ba|den, du badest
Ba|den-Würt|tem|berg – baden-württembergisch
der **Bag|ger,** die Bagger
bag|gern, du baggerst
die **Bahn,** die Bahnen → 12
der **Bahn|steig,** die Bahnsteige → 12
die **Bah|re,** die Bahren → 12
die **Bak|te|rie,** die Bakterien
ba|lan|cie|ren, du balancierst → 11
bald
der **Bal|ken,** die Balken
der **Bal|kon,** die Balkone [Balkons]
der **Ball,** die Bälle → 3
das **Bal|lett** → 9
der **Bal|lon,** die Ballone [Ballons]
die **Ba|na|ne,** die Bananen
das **Band,** die Bänder → 22 ✶
der **Band,** die Bände (Bücher) → 22 ✶
die **Band,** die Bands (Musikgruppe) ✶
er **band** – binden → 22 ✶
die **Ban|de** (Räuberbande)
die **Bank,** die Bänke (Gartenbank)
die **Bank,** die Banken (das Geldinstitut)
bar
die **Bar,** die Bars
der **Bär,** die Bären

✶ Beim verlängerten Wort hörst du das **d** deutlich. ✶

die **Ba|ra|cke,** die Baracken → 1
bar|fuß → 16
das **Bar|geld** → 22
das **Ba|ro|me|ter,** die Barometer
der **Bar|ren,** die Barren → 7
der **Bart,** die Bärte
der **Ba|sar** [Bazar], die Basare
der **Bas|ket|ball** → 3
der **Bass,** die Bässe (Kontrabass) → 8
bas|teln, du bastelst
er **bat** – bitten
die **Bat|te|rie,** die Batterien → 9
der **Bau,** die Bauten
der **Bauch,** die Bäuche
bau|en, du baust
der **Bau|er,** die Bauern
die **Bäu|e|rin,** die Bäuerinnen → 20
bau|fäl|lig → 3
der **Baum,** die Bäume
bau|meln, du baumelst
Bay|ern – bayerisch
der **Ba|zar** [Basar], die Bazare
die **Ba|zil|len** → 3

be

be|ach|ten, du beachtest
der **Be|am|te,** die Beamten
die **Be|am|tin,** die Beamtinnen
be|an|tra|gen, du beantragst
be|ben, du bebst
der **Be|cher,** die Becher
das **Be|cken,** die Becken → 1
be|däch|tig → 19
sich **be|dan|ken,** du bedankst dich
be|dau|er|lich
be|dau|ern, du bedauerst
be|deu|tend → 18
die **Be|deu|tung** – bedeuten → 18
die **Be|die|nung** – bedienen → 11
die **Be|din|gung** – bedingen
be|droh|lich → 14
das **Be|dürf|nis,** die Bedürfnisse
sich **be|ei|len,** du beeilst dich ★
be|ein|druckt → 1 ★
be|ein|flus|sen, du beeinflusst mich → 8 ★
be|en|den, du beendest ★
die **Be|er|di|gung** – beerdigen ★
die **Bee|re,** die Beeren → 13
das **Beet,** die Beete (Blumenbeet) → 13
er **be|fahl** – befehlen → 12
er **be|fand** sich – sich befinden
der **Be|fehl,** die Befehle → 13
be|feh|len, du befiehlst, er befahl → 13
du **be|fiehlst** – befehlen → 11
sich **be|fin|den,** du befindest dich, er befand sich
be|foh|len – befehlen → 14
be|freun|det → 18
be|frie|di|gend → 11

★ **-ee-** entsteht durch Zusammensetzen mit dem Wortbaustein **be-**. ★

be|fruch|ten, es wird befruchtet
be|gabt
die **Be|ga|bung**
er **be|gann** – beginnen → 5
be|geg|nen, du begegnest
die **Be|geg|nung** – begegnen
sich **be|geis|tern,**
du begeisterst dich
der **Be|ginn** – beginnen → 5
be|gin|nen, du beginnst,
er begann → 5
be|glei|ten, du begleitest
der **Be|glei|ter,** die Begleiter
be|glück|wün|schen,
du beglückwünschst → 1
be|gon|nen – beginnen → 5
das **Be|gräb|nis** – begraben → 19
be|grei|fen, du begreifst,
er begriff
der **Be|griff,** die Begriffe → 2
be|grün|den, du begründest
be|grü|ßen, du begrüßt → 16
be|haart → 12
be|hag|lich
be|hal|ten, du behältst,
er behielt
der **Be|häl|ter,** die Behälter → 19
du **be|hältst** – behalten → 19
die **Be|hand|lung** – behandeln
be|harr|lich → 7
be|haup|ten, du behauptest
die **Be|haup|tung** – behaupten
sich **be|herr|schen,**
du beherrschst dich → 7
be|herzt
er **be|hielt** – behalten → 11
be|hilf|lich
be|hin|dern, du behinderst
der **Be|hin|der|te,** die Behinderten
die **Be|hin|der|te**
die **Be|hin|de|rung** – behindert
die **Be|hör|de,** die Behörden
be|hü|ten, du behütest
be|hut|sam

bei

bei ✶
die **Beich|te** – beichten
bei|de
der **Bei|fah|rer,** die Beifahrer → 12
die **Bei|fah|re|rin** → 12
der **Bei|fall** → 3
beige (beige Farbe)
das **Beil,** die Beile
das **Bein,** die Beine
bei|na|he
bei|sam|men → 4
das **Bei|spiel,** die Beispiele
(zum Beispiel [z. B.]) → 11
bei|ßen, du beißt, er biss → 16
der **Bei|trag,** die Beiträge → 23

bek

er **be|kam** – bekommen

✶ Nicht alle Zusammensetzungen mit **bei-** stehen hier. ✶

be|kannt → 5
der **Be|kann|te,** die Bekannten → 5
die **Be|kann|te** → 5
sich **be|kle|ckern,** du bekleckerst dich → 1
die **Be|klei|dung** (Kleider) ✶
be|kom|men, du bekommst, er bekam → 4

bel

der **Be|lag,** die Beläge → 23
be|las|ten, du belastest
die **Be|läs|ti|gung** – belästigen ✶
be|lei|di|gen, du beleidigst
be|lei|digt
die **Be|lei|di|gung** – beleidigen ✶
die **Be|leuch|tung** – beleuchten ✶
Bel|gi|en – belgisch
be|liebt → 11
bel|len, er bellt (laut bellen) → 3
be|loh|nen, du belohnst → 14
die **Be|loh|nung** – belohnen → 14 ✶

bem

die **Be|mer|kung** – bemerken ✶
sich **be|mü|hen,** du bemühst dich

ben

be|nach|rich|ti|gen, du benachrichtigst
er **be|nahm** sich – sich benehmen → 12
sich **be|neh|men,** du benimmst dich, er benahm sich → 13
be|nei|den, du beneidest
du **be|nimmst** dich – sich benehmen → 4
be|nom|men – sich benehmen → 4
be|nö|ti|gen, du benötigst
be|nut|zen, du benutzt → 10
das **Ben|zin,** die Benzine

beo

be|ob|ach|ten, du beobachtest
die **Be|ob|ach|tung** – beobachten ✶

beq

be|quem

ber

der **Be|ra|ter** – beraten
die **Be|ra|te|rin**
be|rech|tigt
die **Be|rech|ti|gung,** die Berechtigungen ✶
der **Be|reich,** die Bereiche
be|reit
be|rei|ten, du bereitest
be|reits
be|reu|en, du bereust → 18
der **Berg,** die Berge → 23
berg|ab
berg|auf
ber|gig
die **Ber|gung** – bergen ✶
der **Be|richt,** berichten
be|rich|ten, du berichtest

✶ Wörter mit der Endung **-ung** sind meist Namenwörter (Nomen). ✶

die **Be|rich|ti|gung,** die Berichtigungen ✶
be|rie|seln → 11
Ber|lin – berlinerisch
be|rüch|tigt
be|rück|sich|ti|gen, du berücksichtigst → 1
der **Be|ruf,** die Berufe
be|ruf|lich
be|rufs|tä|tig → 19
be|ru|hi|gen, du beruhigst
be|ru|higt
die **Be|ru|hi|gung** ✶
be|rühmt
die **Be|rüh|rung** – berühren ✶

bes

er **be|sann** sich – sich besinnen → 5
er **be|saß** – besitzen → 16
be|schä|di|gen, du beschädigst → 19
sich **be|schäf|ti|gen,** du beschäftigst dich
be|schäf|tigt
die **Be|schäf|ti|gung** ✶
Be|scheid sagen
be|schei|den
die **Be|schei|ni|gung** – bescheinigen ✶
die **Be|sche|rung** – bescheren ✶
be|schleu|ni|gen, du beschleunigst → 18
be|schlie|ßen, du beschließt, er beschloss → 11, 16
er **be|schloss** – beschließen
be|schlos|sen – beschließen → 8
der **Be|schluss,** die Beschlüsse → 8
sich **be|schmut|zen,** du beschmutzt dich → 10
be|schrif|ten, du beschriftest
be|schul|di|gen, du beschuldigst
be|schüt|zen, du beschützt → 10
sich **be|schwe|ren,** du beschwerst dich
be|sei|ti|gen, du beseitigst
der **Be|sen,** die Besen
be|ses|sen – besitzen → 8
be|setzt → 10
be|sich|ti|gen, du besichtigst
die **Be|sich|ti|gung** – besichtigen ✶
sich **be|sin|nen,** du besinnst dich, er besann sich → 5
be|sit|zen, du besitzt, er besaß → 10
be|son|ders
be|son|nen – besinnen → 5
die **Be|sor|gung** – besorgen ✶
die **Be|spre|chung** – besprechen ✶
bes|ser, am besten – gut → 8
er **be|stand** – bestehen → 22

✶ Wörter mit der Endung **-ung** sind meist Namenwörter (Nomen). ✶

be|stan|den – bestehen
die **Be|stä|ti|gung** – bestätigen ★
die **Be|stäu|bung** – bestäuben → 20 ★
das **Be|steck,** die Bestecke → 1
be|ste|hen, du bestehst, er bestand
die **Be|stel|lung** – bestellen → 3 ★
am **bes|ten** – gut
die **Bes|tie,** die Bestien
be|stimmt → 4
die **Be|stra|fung** – bestrafen ★
der **Best|sel|ler,** die Bestseller
der **Be|such** – besuchen

bet

die **Be|täu|bung** – betäubt → 20 ★
sich **be|tei|li|gen,** du beteiligst dich
be|ten, du betest
der **Be|ton** – betonieren
be|to|nen, du betonst
be|trach|ten, du betrachtest
der **Be|trag,** die Beträge → 23
sich **be|tra|gen,** du beträgst dich, er betrug sich
du **be|trägst** dich – betragen → 19
be|treu|en, du betreust → 18
der **Be|trieb,** die Betriebe → 11
er **be|trog** – betrügen → 23
be|tro|gen – betrügen
be|trübt
der **Be|trug** → 23
er **be|trug** sich – sich betragen
be|trü|gen, du betrügst, er betrog
das **Bett,** die Betten (Kinderbett) → 9
bet|teln, du bettelst → 9
der **Bett|ler** – betteln → 9
die **Bett|le|rin,** die Bettlerinnen → 9

beu

die **Beu|le,** die Beulen → 18
be|ur|tei|len, du beurteilst
die **Beu|te** → 18
der **Beu|tel,** die Beutel → 18

bev

die **Be|völ|ke|rung** – bevölkern ★
be|vor
be|vor|zu|gen, du bevorzugst

bew

er **be|warb** sich – sich bewerben
sich **be|we|gen,** du bewegst dich
be|weg|lich
die **Be|we|gung,** die Bewegungen ★
der **Be|weis** – beweisen
sich **be|wer|ben,** du bewirbst dich, er bewarb sich
die **Be|wer|bung** ★
du **be|wirbst** dich – sich bewerben
die **Be|woh|ner** – bewohnen → 14
die **Be|wöl|kung** – bewölkt ★
be|wun|dern, du bewunderst
be|wusst|los → 8

★ Wörter mit der Endung **-ung** sind meist Namenwörter (Nomen). ★

bez

be|zah|len, du bezahlst → 12
die **Be|zie|hung** → 11
der **Be|zirk,** die Bezirke
der **Be|zug** – beziehen → 23

bi

die **Bi|bel,** die Bibeln
der **Bi|ber,** die Biber
die **Bib|lio|thek,** die Bibliotheken
bie|gen, du biegst,
er bog → 11 ✸
bieg|sam → 11 ✸
die **Bie|gung** – biegen → 11 ✸
die **Bie|ne,** die Bienen → 11
das **Bier,** die Biere → 11
das **Biest,** die Biester → 11
bie|ten, du bietest, er bot
der **Bi|ki|ni,** die Bikinis
das **Bild,** die Bilder → 22
der **Bild|schirm**
die **Bil|dung** – sich bilden
bil|lig → 3
ich **bin,** du bist, er war – sein
die **Bin|de,** die Binden
bin|den, du bindest, er band
die **Bin|dung,** die Bindungen
die **Bio|lo|gie**
das [der] **Bio|top,** die Biotope
die **Bir|ke,** die Birken
die **Bir|ne,** die Birnen
bis (von 8 bis 12 Uhr)
der **Bi|schof,** die Bischöfe
die **Bi|schö|fin**
bis|her
der **Biss,** die Bisse (Hundebiss) → 8
er **biss** – beißen → 8
ein **biss|chen** → 8
bis|sig → 8
du **bist,** du warst – sein
die **Bit|te** – bitten → 9
bit|ten, du bittest, er bat → 9
bit|ter → 9

bl

die **Bla|ma|ge,** die Blamagen
sich **bla|mie|ren,** du blamierst dich → 11
blank
die **Bla|se,** die Blasen
bla|sen, du bläst, er blies
blass → 8
du **bläst** – blasen → 19
das **Blatt,** die Blätter → 9
blät|tern, du blätterst → 19, 9
blau
das **Blech,** die Bleche
blei|ben, du bleibst, er blieb
bleich
der **Blei|stift,** die Bleistifte
blen|den, du wirst geblendet
der **Blick,** die Blicke → 1
bli|cken, du blickst → 1
er **blieb** – bleiben → 11
er **blies** – blasen → 11

✸ Denke an den gemeinsamen Wortstamm. ✸

blind – der Blinde → 22
der **Blind|darm**
blin|ken, du blinkst
der **Blin|ker** – blinken
blin|zeln, du blinzelst
der **Blitz,** die Blitze → 10
blitz|blank → 10
blit|zen, es blitzt → 10
der **Block,** die Blöcke → 1
der **Blöd|sinn** – blöd[e] → 5
blond → 22
bloß → 16
blü|hen, es blüht
die **Blu|me,** die Blumen
die **Blu|se,** die Blusen
das **Blut** – blutig
die **Blü|te,** die Blüten
blu|ten, du blutest

bo

der **Bob,** die Bobs
der **Bock,** die Böcke → 1
bo|ckig → 1
der **Bo|den,** die Böden
er **bog** – biegen → 23
der **Bo|gen,** die Bogen [Bögen]
die **Boh|ne,** die Bohnen → 14 ★
boh|ren, du bohrst → 14 ★
der **Boh|rer,** die Bohrer → 14 ★
die **Bo|je,** die Bojen
die **Bom|be,** die Bomben
der [das] **Bon|bon,** die Bonbons
das **Boot,** die Boote (Segelboot) – das Bötchen → 14 ★
an **Bord**
bor|gen, du borgst
die **Bors|te,** die Borsten
bös [bö|se], nichts Böses
die **Bö|schung,** die Böschungen
bos|haft
die **Bos|heit**
der **Boss,** die Bosse
er **bot** – bieten
der **Bo|te,** die Boten (Postbote)
die **Bo|tin** (Postbotin)
die **Bot|schaft,** die Botschaften
bo|xen, du boxt
der **Bo|xer** – boxen

br

er **brach** – brechen
er **brach|te** – bringen
der **Brand,** die Brände → 22
Bran|den|burg – brandenburgisch
die **Bran|dung**
es **brann|te** – brennen → 5
bra|ten, du brätst, er briet
der **Bra|ten,** die Braten
du **brätst** – braten → 19
der **Brauch,** die Bräuche
brau|chen, du brauchst
die **Brau|e|rei** – brauen
braun

★ Diese Wörter enthalten Dehnungszeichen. ★

bräu|nen, du bräunst → 20
die **Brau|se,** die Brausen
brau|sen, du braust
die **Braut,** die Bräute
der **Bräu|ti|gam,** die Bräutigame
brav
bra|vo
bre|chen, du brichst, er brach
der **Brei,** die Breie
breit
die **Brei|te,** die Breiten
Bre|men – bremisch
die **Brem|se,** die Bremsen
brem|sen, du bremst
bren|nen, es brennt, es brannte → 5
die **Brenn|nes|sel,** die Brennnesseln → 5, 8
brenz|lig ✶
das **Brett,** die Bretter → 9
die **Bre|zel,** die Brezeln
du **brichst** – brechen
der **Brief,** die Briefe → 11
er **briet** – braten → 11
das **Bri|kett,** die Briketts → 9
die **Bril|le,** die Brillen → 3
brin|gen, du bringst, er brachte
die **Bri|se** (leichter Wind)
der **Bri|te,** die Briten
die **Bri|tin,** die Britinnen
brö|ckeln, es bröckelt → 1
der **Bro|cken,** die Brocken → 1
die **Brom|bee|re,** die Brombeeren → 13
die **Bron|ze|me|dail|le,** die Bronzemedaillen
das **Brot,** die Brote
das **Bröt|chen,** die Brötchen
der **Bruch,** die Brüche
die **Brü|cke,** die Brücken → 1
der **Bru|der,** die Brüder
die **Brü|he**
brül|len, du brüllst → 3
brum|men, du brummst → 4
brum|mig → 4 ✶
der **Brun|nen,** die Brunnen → 5
die **Brust,** die Brüste
das **Brust|schwim|men** → 4
die **Brut**
bru|tal
die **Bru|ta|li|tät**
brü|ten, er brütet
brut|zeln, es brutzelt → 10

bu

der **Bub,** die Buben → 21
das **Buch,** die Bücher
die **Bu|che,** die Buchen
die **Bü|che|rei,** die Büchereien
die **Büch|se,** die Büchsen
der **Buch|sta|be,** die Buchstaben
buch|sta|bie|ren, du buchstabierst → 11

✶ Wörter mit der Endung **-ig** sind meist Wiewörter (Adjektive). ✶

die **Bucht,** die Buchten
der **Bu|ckel,** die Buckel → 1
bu|cke|lig [buck|lig] → 1
sich **bü|cken,** du bückst dich → 1
bud|deln, du buddelst
der **Bud|dhis|mus** – buddhistisch
die **Bu|de,** die Buden
der **Bü|gel,** die Bügel
bü|geln, du bügelst
bu|hen, du buhst
die **Büh|ne,** die Bühnen
der **Bull|dog,** die Bulldogs → 3
die **Bull|dog|ge,** die Bulldoggen → 3
der **Bul|le,** die Bullen → 3
der **Bu|me|rang,** die Bumerangs [Bumerange]
bum|meln, du bummelst → 4
das **Bund** (Schlüsselbund) → 22
der **Bund,** die Bünde (Geheimbund) → 22
das **Bün|del,** die Bündel
die **Bun|des|li|ga**
die **Bun|des|re|pub|lik**
die **Bun|des|wehr** → 13
der **Bun|ga|low,** die Bungalows
bunt
der **Bunt|stift**
die **Burg,** die Burgen → 23
der **Bür|ger,** die Bürger
die **Bür|ge|rin,** die Bürgerinnen
der **Bür|ger|meis|ter**
die **Bür|ger|meis|te|rin**
das **Bü|ro,** die Büros
der **Bur|sche,** die Burschen
die **Bürs|te,** die Bürsten
bürs|ten, du bürstest
der **Bus,** die Busse (Autobus)
der **Busch,** die Büsche
der **Bu|sen,** die Busen
der **Bus|sard,** die Bussarde → 8
die **Bu|ße** (Buße tun) → 16
bü|ßen, du büßt → 16
die **But|ter** → 9

by

das **Byte,** die Bytes

C

c ✶

das **Cab|rio** [Kabrio]
das **Ca|fé,** die Cafés
cam|pen, du campst
der **Cam|ping|platz** → 10
der **CD-Play|er,** die CD-Player
die **CD-ROM,** die CD-ROM[s]
das **Cel|lo,** die Celli [Cellos]
Cel|si|us (5° Celsius)
der **Cent,** die Cent[s]

✶ **c** am Wortanfang wird verschieden gesprochen. ✶

das **Cen|ter,** die Center
die **Chan|ce,** die Chancen ★
das **Cha|os** – chaotisch ★
der **Cha|rak|ter,** die Charaktere ★
der **Char|ter|flug** – chartern → 23 ★
der **Chef,** die Chefs ★
die **Che|fin,** die Chefinnen ★
die **Che|mie** ★
chic [schick] ★
Chi|na – chinesisch ★
der **Chi|ne|se,** die Chinesen ★
die **Chi|ne|sin,** die Chinesinnen ★
der **Chip,** die Chips ★
der **Chor,** die Chöre ★
der **Christ,** die Christen ★
der **Christ|baum** ★
das **Chris|ten|tum** – christlich ★
das **Christ|kind** ★
Chris|tus ★
cir|ca [zirka]
der **Cir|cus** [Zirkus]
die **Ci|ty**
cle|ver
der **Clown,** die Clowns
der **Club** [Klub], die Clubs
Co|la
der **Co|mic,** die Comics
der **Com|pu|ter,** die Computer
der **Con|tai|ner,** die Container
cool (cool sein)
die **Corn|flakes**
die **Couch,** die Couches
der **Cou|sin,** die Cousins
die **Cou|si|ne** [Kusine]
der **Cow|boy,** die Cowboys
die **Creme** [Krem], die Cremes
die **Cur|ry|wurst,** die Currywürste
der **Cur|sor**

D

da
da
da|bei
das **Dach,** die Dächer
er **dach|te** – denken
der **Da|ckel,** die Dackel → 1
da|durch
da|für
da|ge|gen
da|heim
da|her
da|mals
die **Da|me,** die Damen
da|mit
däm|lich
der **Damm,** die Dämme → 4
däm|mern, es dämmert → 4
die **Däm|me|rung** → 4

★ **ch** am Wortanfang wird verschieden gesprochen. ★

der **Dampf,** die Dämpfe
damp|fen, es dampft
der **Damp|fer,** die Dampfer
da|nach
Dä|ne|mark – dänisch
der **Dank** – danken
dank|bar
dan|ken, du dankst mir
dann → 5
da|ran [dran] ✶
da|rauf [drauf] ✶
da|raus [draus] ✶
du **darfst** – dürfen
da|rin [drin] ✶
der **Darm,** die Därme
da|rü|ber [drü|ber] ✶
da|rum [drum] ✶
da|run|ter [drun|ter] ✶
das (das Kind)
dass (sich freuen, dass ...)
das|sel|be
der **Da|tiv**
das **Da|tum,** die Daten
die **Dau|er**
dau|ern, es dauert
dau|ernd
der **Dau|men,** die Daumen
da|von
da|vor
da|zu
da|zwi|schen

de

das **Deck,** die Decks → 1
die **De|cke,** die Decken → 1
der **De|ckel,** die Deckel → 1
de|cken, du deckst → 1
de|fekt
deh|nen, du dehnst → 13
der **Deich,** die Deiche (Deichbruch)
die **Deich|sel,** die Deichseln
dein, deine, deiner
dei|net|we|gen
der **Del|fin** [Delphin], die Delfine
die **Del|le,** die Dellen → 3
der **Del|phin** [Delfin], die Delphine
dem|nächst
die **De|mo|kra|tie,** die Demokratien
de|mo|kra|tisch
die **De|mon|stra|ti|on** – demonstrieren
den|ken, du denkst, er dachte
das **Denk|mal,** die Denkmäler
denn (Wo denn?) → 5
den|noch
der, dem, den
derb → 21
der|sel|be
des
des|halb
des|sen → 8
des|to (desto besser)

D

✶ Du kannst diese Wörter auch erst nach dem **r** trennen, z. B.: **dar-an.** ✶

der **De|tek|tiv,** die Detektive
deu|ten, du deutest → 18
deut|lich → 18
der **Deut|sche,** die Deutschen → 18
die **Deut|sche** → 18
Deutsch|land – deutsch → 18
der **De|zem|ber**
der **De|zi|me|ter**

di

das **Dia,** die Dias
der **Dia|lekt,** die Dialekte
der **Dia|mant,** die Diamanten
die **Di|ät**
dich
dicht
dich|ten, du dichtest
der **Dich|ter,** die Dichter
die **Dich|te|rin**
die **Dich|tung,** die Dichtungen
dick → 1
das **Di|ckicht** → 1
der **Dick|kopf** → 1
die
der **Dieb,** die Diebe → 11, 21
der **Dieb|stahl** → 11, 12
die **Die|le,** die Dielen → 11
die|nen, du dienst → 11
der **Dienst,** die Dienste → 11
der **Diens|tag,** am Dienstag → 11
diens|tags → 11
dienst|lich → 11
dies, diese, dieser, dieses → 11
die|sel|be
der **Die|sel|mo|tor** → 11
die|sig → 11
dies|mal → 11
die **Dif|fe|renz,** die Differenzen → 2
di|gi|tal
das **Dik|tat,** die Diktate
dik|tie|ren, du diktierst → 11
das **Ding,** die Dinge
der **Di|no|sau|ri|er,** die Dinosaurier
dir
di|rekt
der **Di|rek|tor,** die Direktoren
die **Di|rek|to|rin**
der **Di|ri|gent** – dirigieren
die **Di|ri|gen|tin,** die Dirigentinnen
die **Dis|ket|te,** die Disketten → 9
die **Dis|ko|thek,** die Diskotheken
die **Dis|kus|si|on** – diskutieren → 8
das **Dis|play,** die Displays
die **Dis|tel,** die Disteln
di|vi|die|ren, du dividierst → 11
die **Di|vi|si|on** – dividieren

do

doch
der **Docht,** die Dochte
der **Dok|tor,** die Doktoren
die **Dok|to|rin**
der **Dolch,** die Dolche
der **Dol|lar,** die Dollars → 3

Wörter mit dem Wortbaustein **-lich** sind meist Wiewörter (Adjektive).

der **Dol|met|scher,** die Dolmetscher
die **Dol|met|sche|rin**
der **Dom,** die Dome
der **Domp|teur,** die Dompteure → 18
die **Domp|teu|se,** die Dompteusen
die **Do|nau**
der **Dö|ner|ke|bab**
der **Don|ner** – donnern → 5
don|nern, es donnert → 5
der **Don|ners|tag,** am Donnerstag
don|ners|tags → 5
doof → 14
das **Do|ping** – dopen
dop|pelt → 6
das **Dorf,** die Dörfer
der **Dorn,** die Dornen
dor|nig ★
dort
die **Do|se,** die Dosen
dö|sen, du döst
das [der] **Dot|ter,** die Dotter → 9

dr

der **Dra|che,** die Drachen
der **Dra|chen,** die Drachen
der **Draht,** die Drähte → 12
dran [da|ran]
drän|geln, du drängelst
drän|gen, du drängst → 19
drauf [da|rauf]
drau|ßen → 16
der **Dreck** – verdrecken → 1
dre|ckig → 1 ★
dre|hen, du drehst
drei, dreimal
das **Drei|eck,** die Dreiecke → 1
drei|eckig → 1 ★
drei|ßig → 16
drei|zehn → 13
dre|schen, du drischst, er drosch
dres|sie|ren, du dressierst → 11
drib|beln, du dribbelst (mit dem Ball dribbeln)
drin [da|rin]
drin|gend
drin|nen → 5
du **drischst** – dreschen
drit|tens → 9
die **Dro|ge,** die Drogen
die **Dro|ge|rie,** die Drogerien
dro|hen, du drohst
dröh|nen, es dröhnt
die **Dro|hung** – drohen
er **drosch** – dreschen
die **Dros|sel,** die Drosseln → 8
der **Druck,** die Drucke → 1
drü|cken, du drückst → 1
die **Dru|cke|rei,** die Druckereien → 1
drum [da|rum]
die **Drü|se,** die Drüsen

ds

der **Dschun|gel**

★ Wörter mit der Endung **-ig** sind meist Wiewörter (Adjektive). ★

du

du
der **Dü|bel,** die Dübel
sich **du|cken,** du duckst dich → 1
der **Duft,** die Düfte
duf|ten, du duftest
dul|den, du duldest
dumm, dümmer, am dümmsten → 4
düm|mer, am dümmsten – dumm
die **Dumm|heit,** die Dummheiten → 4
dumpf
die **Dü|ne,** die Dünen (Sanddüne)
der **Dün|ger** – düngen
dun|kel
die **Dun|kel|heit**
dünn → 5
der **Dunst,** die Dünste
durch ✶
durch|ei|nan|der
durch|läs|sig → 19, 8
durch|que|ren, du durchquerst
der **Durch|schnitt** – durchschnittlich → 9
dür|fen, du darfst, er durfte
er **durf|te** – dürfen
dürr → 7
der **Durst**
durs|tig
die **Du|sche,** die Duschen (der Duschraum)
du|schen, du duschst
der **Dü|sen|jä|ger,** die Düsenjäger
düs|ter
das **Dut|zend,** die Dutzende → 10
du|zen, du duzt

dy

der **Dy|na|mo,** die Dynamos

E

e

die **Eb|be**
eben
die **Ebe|ne,** die Ebenen
eben|falls → 3
eben|so
das **Echo,** die Echos
echt (echter Schmuck)
die **Ecke** – eckig → 1
das **Edel|weiß** → 16
der **Efeu**
egal
die **Eg|ge** – eggen
der **Ego|ist** – egoistisch

eh

die **Ehe** (das Ehepaar)

✶ Denke an Zusammensetzungen mit dem Wortbaustein **durch-**. ✶

ehe (bevor)
eher
die **Eh|re** – ehren → 13
ehr|gei|zig → 13
ehr|lich → 13

ei

das **Ei,** die Eier
die **Ei|che,** die Eichen
die **Ei|chel,** die Eicheln
das **Eich|hörn|chen,** die Eichhörnchen
die **Ei|dech|se,** die Eidechsen
ei|fer|süch|tig
eif|rig – der Eifer
ei|gen (das eigene Zimmer)
ei|gen|ar|tig
die **Ei|gen|schaft,** die Eigenschaften
ei|gen|sin|nig → 5
ei|gent|lich
das **Ei|gen|tum,** die Eigentümer
sich **eig|nen,** du eignest dich
die **Ei|le**
ei|len, du eilst
ei|lig
der **Ei|mer,** die Eimer

ein

ein, eine, einer
ei|nan|der ✶
die **Ein|bahn|stra|ße** → 12, 16
der **Ein|band,** die Einbände → 22
sich **ein|bil|den,** du bildest dir ein
der **Ein|bre|cher,** die Einbrecher
der **Ein|bruch,** die Einbrüche
ein|deu|tig → 18
der **Ein|druck,** die Eindrücke → 1
ein|fach – das Einfachste
ein|fä|deln, du fädelst ein → 19
der **Ein|fall,** die Einfälle → 3
der **Ein|fluss,** die Einflüsse → 8
ein|ge|bil|det
die **Ein|ge|bo|re|nen**
ein|hef|ten, du heftest ein
ein|hei|misch
die **Ein|hei|mi|schen**
ein|hun|dert
ei|nig
ei|ni|ge
sich **ei|ni|gen,** du einigst dich
ei|ni|ger|ma|ßen → 16
ein|la|den, du lädst ein, er lud ein
ein|mal
das **Ein|mal|eins**
ein|ma|lig
die **Ein|nah|me** – einnehmen → 12
ein|pa|cken, du packst ein → 1
sich **ein|prä|gen,** du prägst dir ein
ein|rah|men, du rahmst ein → 12
die **Ein|rich|tung,** die Einrichtungen
eins
ein|sam

E

✶ Du kannst dieses Wort auch anders trennen: **ein-an-der.** ✶

die **Ein|sam|keit**
ein|sei|tig ★
ein|sper|ren, er ist eingesperrt
ein|spu|rig ★
einst
ein|stim|mig → 4 ★
der **Ein|tritt** – eintreten → 9
ein|ver|stan|den
der **Ein|wand,** die Einwände → 22
der **Ein|wan|de|rer,** die Einwanderer
die **Ein|wan|de|rin**
ein|wand|frei
die **Ein|weg|fla|sche**
der **Ein|woh|ner,** die Einwohner → 14
die **Ein|woh|ne|rin** → 14
die **Ein|zahl** → 12
die **Ein|zel|heit,** die Einzelheiten
ein|zeln – der Einzelne
ein|zig – der Einzige ★
ein|zig|ar|tig ★

eis

das **Eis**
das **Ei|sen,** die Eisen
die **Ei|sen|bahn,** die Eisenbahnen
ei|sern
das **Eis|ho|ckey** → 1
ei|sig ★

eit

ei|tel
die **Ei|tel|keit**
der **Ei|ter** – eitern
ei|te|rig [eit|rig] ★

ek

der **Ekel**
eke|lig [ek|lig] ★
sich **ekeln,** du ekelst dich

el

elas|tisch
die **El|be**
der **Ele|fant,** die Elefanten
ele|gant
der **Elekt|ri|ker,** die Elektriker
elekt|risch
die **Elekt|ri|zi|tät**
elend (sich elend fühlen) → 22
das **Elend**
elf
der **Ell|bo|gen [El|len|bo|gen]** → 3
die **El|tern**

em

die **E-Mail,** die E-Mails (elektronische Nachricht)
er **emp|fahl** – empfehlen → 12
er **emp|fand** – empfinden → 22
emp|fan|gen, du empfängst, er empfing
der **Emp|fän|ger,** die Empfänger → 19
die **Emp|fän|ge|rin** → 19
du **emp|fängst** – empfangen → 19
emp|feh|len, du empfiehlst, er empfahl → 13

★ Wörter mit der Endung **-ig** sind meist Wiewörter (Adjektive). ★

du **emp|fiehlst** – empfehlen → 11
emp|fin|den, du empfindest, er empfand
emp|find|lich
er **emp|fing** – empfangen
emp|foh|len – empfehlen → 14
emp|fun|den – empfinden
em|por
die **Em|po|re,** die Emporen
sich **em|pö|ren,** du empörst dich
em|pört

en

das **En|de,** die Enden (Wochenende)
am **En|de**
end|gül|tig
end|lich
end|los
die **Ener|gie,** die Energien → 11
ener|gisch
eng
der **En|gel,** die Engel
Eng|land – englisch
der **Eng|län|der,** die Engländer → 19
die **Eng|län|de|rin** → 19
das **Eng|lisch**
der **En|kel,** die Enkel
die **En|ke|lin**
enorm

ent ✶

die **Ent|bin|dung** – entbinden
ent|de|cken, du entdeckst → 1
die **Ent|de|ckung** – entdecken → 1
die **En|te,** die Enten (Entenfeder)
sich **ent|fer|nen,** du entfernst dich
die **Ent|fer|nung** – entfernen
ent|ge|gen
ent|geg|nen, du entgegnest
ent|glei|sen, er entgleist
ent|lang
ent|rüs|tet
die **Ent|schei|dung** – entscheiden
ent|schie|den → 11
sich **ent|schlie|ßen,** du entschließt dich, er entschloss sich → 11, 16
ent|schlos|sen → 8
der **Ent|schluss** – sich entschließen → 8
sich **ent|schul|di|gen,** du entschuldigst dich
die **Ent|schul|di|gung,** die Entschuldigungen
ent|setz|lich → 10
ent|setzt → 10
die **Ent|span|nung** – entspannen → 5
ent|täuscht
die **Ent|täu|schung,** die Enttäuschungen
ent|we|der … oder
sich **ent|wi|ckeln,** du entwickelst dich → 1

✶ Denke an Zusammensetzungen mit dem Wortbaustein **ent-**. ✶

E

E

die **Ent|wick|lung,** die Entwicklungen → 1
der **Ent|wurf,** die Entwürfe
ent|zü|ckend → 1
die **Ent|zün|dung** – entzünden
ent|zwei

er

er
das **Er|be**
er|ben, du erbst
die **Erb|se,** die Erbsen
das **Erd|be|ben** – beben
die **Erd|bee|re,** die Erdbeeren → 13
die **Er|de**
er|dros|seln → 8
sich **er|eig|nen,** es ereignet sich
das **Er|eig|nis,** die Ereignisse ✸
die **Er|fah|rung** – erfahren → 12
die **Er|fin|dung** – erfinden
der **Er|folg,** die Erfolge → 23
er|folg|reich
er|for|der|lich
er|freu|lich → 18
die **Er|fri|schung** – erfrischen
er|gän|zen, du ergänzt → 19
das **Er|geb|nis,** die Ergebnisse ✸
er|hol|sam
die **Er|ho|lung** – sich erholen
sich **er|in|nern,** du erinnerst dich → 5
die **Er|in|ne|rung** – sich erinnern → 5
sich **er|käl|ten,** du erkältest dich → 19
die **Er|käl|tung** – sich erkälten → 19
er **er|kann|te** – erkennen → 5
er|ken|nen, du erkennst, er erkannte → 5
er|klä|ren, du erklärst → 19
die **Er|klä|rung** – erklären → 19
sich **er|kun|di|gen,** du erkundigst dich
er|lau|ben, du erlaubst
die **Er|laub|nis** – erlauben ✸
er|le|ben, du erlebst
das **Er|leb|nis,** die Erlebnisse ✸
er|le|di|gen, du erledigst
er|le|digt
er|leich|tert
er|lö|sen, du erlöst
er|mah|nen, du ermahnst → 12
er|mä|ßigt, → 19, 16
die **Er|mä|ßi|gung** → 19, 16
sich **er|näh|ren,** du ernährst dich → 19
die **Er|näh|rung** – ernähren → 19
ernst (mit ernster Stimme)
der **Ernst** (mit großem Ernst)
ernst|haft
die **Ern|te** – ernten
ern|ten, du erntest
er|obern, du eroberst
er|presst → 8
die **Er|pres|sung** – erpressen → 8

✸ Wörter mit dem Wortbaustein **-nis** sind Namenwörter (Nomen). ✸

er|ra|ten, du errätst, er erriet ✶
er|rei|chen, du erreichst ✶
er **er|riet** – erraten → 11 ✶
der **Er|satz** – ersetzen → 10
die **Er|schöp|fung** – erschöpft
er **er|schrak** – erschrecken
er|schre|cken, du erschrickst, er erschrak → 1
du **er|schrickst** – erschrecken → 1
er|schro|cken – erschrecken → 1
er|schüt|ternd → 9
erst
er|star|ren, du erstarrst → 7
er|staunt
ers|tens
er|sti|cken, du erstickst → 1
erst|klas|sig → 8
er|tap|pen, du ertappst → 6
er **er|trank** – ertrinken
er|trin|ken, du ertrinkst, er ertrank
er|trun|ken – ertrinken
er|wach|sen
der **Er|wach|se|ne,** die Erwachsenen
die **Er|wach|se|ne**
er|wäh|nen, du erwähnst
sich **er|wär|men,** es erwärmt sich → 19
er|war|ten, du erwartest
die **Er|war|tung,** die Erwartungen
er|wi|dern, du erwiderst
er|zäh|len, du erzählst
die **Er|zäh|lung** – erzählen
die **Er|zie|hung** – erziehen → 11

es

es
der **Esel,** die Esel
der **Es|ki|mo,** die Eskimos (die Inuit)
ess|bar → 8
das **Es|sen,** die Essen → 8
es|sen, du isst, er aß → 8
der **Es|sig** → 8
der **Ess|löf|fel** – essen → 8, 2
Est|land – estländisch

et

die **Eta|ge,** die Etagen
das **Eti|kett,** die Etikette[n] [Etiketts] → 9
das **Etui,** die Etuis
et|wa
et|was

eu

euch
eu|er
die **Eu|le,** die Eulen → 18
der **Eu|ro,** die Euros (€) → 18
Eu|ro|pa – europäisch → 18
der **Eu|ro|pä|er,** die Europäer → 18
die **Eu|ro|pä|e|rin** → 18
das **Eu|ter,** die Euter → 18

ev

evan|ge|lisch

✶ **-rr-** entsteht durch Zusammensetzen mit dem Wortbaustein **er-**. ✶

das **Evan|ge|li|um,** die Evangelien
even|tu|ell → 3
ew
die **Ewig|keit** – ewig
ex
exakt
das **Exa|men,** die Examen
das **Exemp|lar,** die Exemplare
die **Exis|tenz** – existieren
exo|tisch
die **Ex|pe|di|ti|on,** die Expeditionen
das **Ex|pe|ri|ment** – experimentieren
die **Ex|plo|si|on** – explodieren
ex|por|tie|ren,
es wird exportiert → 11
der **Ex|press** → 8
ext|ra
ext|rem

F

fa
die **Fa|bel,** die Fabeln
fa|bel|haft
die **Fab|rik,** die Fabriken
das **Fach,** die Fächer
die **Fa|ckel,** die Fackeln → 1
fad [fa|de]

der **Fa|den,** die Fäden
fä|hig
die **Fä|hig|keit,** die Fähigkeiten
die **Fahn|dung** – fahnden → 12
die **Fah|ne,** die Fahnen → 12
die **Fäh|re,** die Fähren → 19 ★
fah|ren, du fährst, er fuhr → 12 ★
der **Fah|rer,** die Fahrer → 12 ★
die **Fah|re|rin,** die Fahrerinnen ★
fahr|läs|sig → 19, 8 ★
das **Fahr|rad,** die Fahrräder → 12 ★
du **fährst** – fahren → 19 ★
die **Fahrt,** die Fahrten → 12 ★
die **Fähr|te,** die Fährten → 19 ★
das **Fahr|zeug** – fahren → 12, 23 ★
fair – die Fairness
der **Fak|tor,** die Faktoren
der **Fall,** die Fälle → 3
die **Fal|le,** die Fallen → 3
fal|len, du fällst, er fiel → 3
fäl|lig → 19, 3
falls → 3
du **fällst** – fallen → 19, 3
falsch
fäl|schen, du fälschst → 19
die **Fal|te** – falten
der **Fal|ter,** die Falter
fal|tig
die **Fa|mi|lie,** die Familien
der **Fan,** die Fans
er **fand** – finden → 22

★ Denke an den gemeinsamen Wortstamm. ★

du **fan|gen,** du fängst, er fing
du **fängst** – fangen → 19
die **Fan|ta|sie** [Phantasie], die Fantasien → 11
fan|tas|tisch [phantastisch]
die **Far|be,** die Farben
fär|ben, du färbst → 19
far|big
die **Farm,** die Farmen
der **Fa|sching**
fa|seln, du faselst
die **Fa|ser,** die Fasern
das **Fass,** die Fässer → 8
fas|sen, du fasst → 8
die **Fas|sung** – fassen → 8
fast (fast so groß)
fas|ten, du fastest
das **Fast|food**
die **Fast|nacht**
fau|chen, du fauchst
faul
fau|len, es fault
die **Faul|heit** – faul
der **Faul|pelz** – faulenzen
die **Faust,** die Fäuste
der **Fa|vo|rit,** die Favoriten
das **Fax** (ein Fax schicken)
die **Fa|xen** (Faxen machen)

fe

der **Feb|ru|ar**
die **Fe|der,** die Federn
die **Fee,** die Feen → 13 ★
fe|gen, du fegst
feh|len, du fehlst → 13 ★
der **Feh|ler,** die Fehler → 13 ★
feh|ler|frei → 13 ★
die **Fei|er,** die Feiern
fei|er|lich
fei|ern, du feierst
feig [fei|ge]
der **Feig|ling,** die Feiglinge
die **Fei|le** – feilen
fein
der **Feind,** die Feinde → 22
feind|lich
die **Feind|schaft,** die Feindschaften
das **Feld,** die Felder → 22
die **Fel|ge,** die Felgen
das **Fell,** die Felle → 3
der **Fels [Fel|sen],** die Felsen
fel|sig
das **Fens|ter,** die Fenster
die **Fe|ri|en**
das **Fer|kel,** die Ferkel
fern
die **Fer|ne**
das **Fern|se|hen,** beim Fernsehen
fern|se|hen, du siehst fern
der **Fern|se|her,** die Fernsehgeräte
die **Fer|se** (Teil des Fußes)
fer|tig

F

★ Diese Wörter enthalten ein Dehnungszeichen. ★

die **Fes|sel,** die Fesseln → 8
fes|seln, du fesselst → 8
fest (fest verschnüren)
das **Fest,** die Feste
fest|lich
fett, am fettesten → 9
das **Fett,** die Fette → 9
fet|tig → 9 *
der **Fet|zen,** die Fetzen → 10
feucht → 18
die **Feuch|tig|keit** → 18
das **Feu|er,** die Feuer → 18
die **Feu|er|wehr** → 18, 13
das **Feu|er|werk** → 18
feu|rig → 18 *

fi

die **Fich|te,** die Fichten
das **Fie|ber** – fiebern → 11
fieb|rig → 11 *
er **fiel** – fallen → 11
die **Fi|gur,** die Figuren
der **Film** – filmen
der [das] **Fil|ter,** die Filter
fil|tern, du filterst
der **Filz|schrei|ber**
der **Filz|stift,** die Filzstifte
das **Fi|nanz|amt,** die Finanzämter
fi|nan|zie|ren – die Finanzen → 11
fin|den, du findest, er fand
er **fing** – fangen
der **Fin|ger,** die Finger
der **Fink,** die Finken
Finn|land – finnisch → 5
fins|ter
die **Fins|ter|nis**
die **Fir|ma,** die Firmen
die **Fir|mung** – gefirmt werden
der **Fisch,** die Fische
fi|schen, du fischst
fit – die Fitness
fix

fl

flach
die **Flä|che** – flach → 19
fla|ckern, es flackert → 1
die **Flag|ge,** die Flaggen
die **Flam|me,** die Flammen → 4
die **Fla|sche,** die Flaschen
flat|tern, es flattert → 9
flau (ein flaues Gefühl)
der **Flaum** (die Flaumfedern)
die **Flau|te,** die Flauten
flech|ten, du flichtst, er flocht
der **Fleck,** die Flecken → 1
fle|ckig → 1 *
die **Fle|der|maus,** die Fledermäuse
der **Fle|gel,** die Flegel
fle|hen, du flehst
das **Fleisch** – fleischig
der **Fleiß** → 16
flei|ßig → 16 *
flen|nen, du flennst → 5

* Wörter mit der Endung **-ig** sind meist Wiewörter (Adjektive). *

flet|schen, du fletschst
du **flichtst** – flechten
fli|cken, du flickst
(Reifen flicken) → 1
der **Flie|der** → 11
die **Flie|ge,** die Fliegen → 11
flie|gen, du fliegst, er flog → 11
flie|hen, du fliehst, er floh → 11
die **Flie|se,** die Fliesen → 11
das **Fließ|band,**
die Fließbänder → 11, 16
flie|ßen, es fließt, es floss → 11, 16
flim|mern, es flimmert → 4
flink
flit|zen, du flitzt → 10
er **flocht** – flechten
die **Flo|cke,** die Flocken → 1
er **flog** – fliegen
der **Floh,** die Flöhe
er **floh** – fliehen
das **Floß,** die Flöße → 16
es **floss** – fließen → 8
die **Flos|se,** die Flossen → 8
die **Flö|te** – flöten
flott, am flottesten → 9
der **Fluch,** die Flüche
flu|chen, du fluchst
die **Flucht** – flüchten ★
flüch|ten, du flüchtest ★
flüch|tig ★
der **Flücht|ling,** die Flüchtlinge ★
der **Flug,** die Flüge → 23
der **Flü|gel,** die Flügel
flüg|ge
das **Flug|zeug,** die Flugzeuge → 18, 23
flun|kern, du flunkerst
der **Flur,** die Flure
der **Fluss,** die Flüsse → 8
flüs|sig → 8
die **Flüs|sig|keit** → 8
flüs|tern, du flüsterst
die **Flut,** die Fluten

fo

das **Foh|len,** die Fohlen → 14
der **Föhn**
die **Föh|re,** die Föhren
die **Fol|ge,** die Folgen
fol|gen, du folgst
die **Fo|lie,** die Folien
fol|tern, es wird gefoltert
for|dern, du forderst
die **For|de|rung** – fordern
die **För|de|rung** – fördern
die **Fo|rel|le,** die Forellen → 3
die **Form,** die Formen
for|men, du formst
das **For|mu|lar,** die Formulare
for|mu|lie|ren, du formulierst → 11
for|schen, du forschst
der **For|scher,** die Forscher
die **For|sche|rin,** die Forscherinnen
die **For|schung**

★ Diese Wörter bilden eine Wortfamilie. ★

der **Förs|ter** – das Forstamt
fort ✶
der **Fort|schritt** – fortschrittlich → 9
die **Fort|set|zung** – fortsetzen → 10
das **Fo|to,** die Fotos
der **Fo|to|ap|pa|rat,** die Fotoapparate
der **Fo|to|graf,** die Fotografen
die **Fo|to|gra|fie** [Photographie], die Fotografien → 11
fo|to|gra|fie|ren, du fotografierst → 11
die **Fo|to|gra|fin,** die Fotografinnen
die **Fo|to|ko|pie,** die Fotokopien → 11
das **Foul,** die Fouls

fr

der **Frach|ter,** die Frachter
die **Fra|ge,** die Fragen
fra|gen, du fragst
das **Fra|ge|zei|chen**
Fran|ken – fränkisch
fran|kie|ren, du frankierst → 11
Frank|reich – französisch
der **Fran|zo|se,** die Franzosen
die **Fran|zö|sin,** die Französinnen
das **Fran|zö|sisch**
er **fraß** – fressen → 16
die **Frat|ze,** die Fratzen → 10
die **Frau,** die Frauen
frech
der **Frech|dachs**
die **Frech|heit,** die Frechheiten
frei
frei|hän|dig → 19
die **Frei|heit,** die Freiheiten
frei|lich
der **Frei|tag,** am Freitag
frei|tags
frei|wil|lig → 3
fremd → 22
der **Frem|de,** die Fremden
fres|sen, er frisst, er fraß → 8
die **Freu|de** – freudestrahlend → 18
sich **freu|en,** du freust dich → 18
der **Freund,** die Freunde → 18, 22
die **Freun|din,** die Freundinnen
freund|lich → 18
die **Freund|schaft,** die Freundschaften → 18
freund|schaft|lich → 18
der **Frie|de[n]** → 11
der **Fried|hof,** die Friedhöfe → 11
fried|lich → 11
frie|ren, du frierst, er fror → 11
frisch
der **Fri|seur** [Frisör], die Friseure
die **Fri|seu|rin** [Frisörin]
fri|sie|ren, du frisierst → 11
der **Fri|sör** [Friseur], die Frisöre
die **Fri|sö|rin** [Friseurin]
er **frisst** – fressen → 8
die **Frist,** die Fristen

✶ Denke an Zusammensetzungen mit dem Wortbaustein **fort-**. ✶

frist|los
die **Fri|sur,** die Frisuren
froh
die **Fröh|lich|keit** – fröhlich
fromm → 4
Fron|leich|nam
fron|tal
er **fror** – frieren
der **Frosch,** die Frösche
der **Frost** (Nachtfrost)
frös|teln, du fröstelst
fros|tig
das **Frot|tee|hand|tuch**
die **Frucht,** die Früchte
frucht|bar
früh
frü|her, frühestens
das **Früh|jahr** → 12
der **Früh|ling**
das **Früh|stück** – frühstücken → 1
früh|stü|cken, du frühstückst → 1
frust|riert – der Frust

fu

der **Fuchs,** die Füchse
fuchs|teu|fels|wild → 18, 22
die **Fu|ge,** die Fugen
sich **fü|gen,** du fügst dich
füh|len, du fühlst
(sich gut fühlen)
der **Füh|ler,** die Fühler (beim Käfer)
er **fuhr** – fahren → 15
füh|ren, du führst
der **Füh|rer|schein**
fül|len, du füllst
(ein Glas füllen) → 3
der **Fül|ler,** die Füller
(zum Schreiben) → 3
der **Fund** – finden → 22
fünf, fünfmal
fünf|zehn → 13
fünf|zig
der **Funk** – funken
der **Fun|ke[n],** die Funken
fun|keln, es funkelt
fun|kel|na|gel|neu
funk|ti|o|nie|ren,
es funktioniert → 11
für
die **Furcht** – fürchten
furcht|bar
sich **fürch|ten,** du fürchtest dich
fürch|ter|lich
für|ei|nan|der
das **Für|wort**
der **Fuß,** die Füße → 16
der **Fuß|gän|ger,** die Fußgänger → 16
die **Fuß|gän|ge|rin** → 16
futsch
das **Fut|ter** → 9
fut|tern, du futterst → 9
füt|tern, du fütterst → 9
das **Fu|tur**

Denke an den gemeinsamen Wortstamm.

G

ga

er **gab** – geben → 21
die **Ga|bel,** die Gabeln
der **Ga|bel|stap|ler**
ga|ckern, es gackert → 1
gaf|fen, du gaffst → 2
der **Gag,** die Gags
gäh|nen, du gähnst
der **Ga|lopp** – galoppieren → 6
es **galt** – gelten
der **Game|boy**
gam|meln, du gammelst → 4
die **Gäm|se,** die Gämsen → 19 ★
der **Gang,** die Gänge
der **Gangs|ter,** die Gangster
die **Gans,** die Gänse
ganz, gänzlich
gar, gar kein, gar nicht
gar (fertiggekocht)
die **Ga|ra|ge,** die Garagen
die **Ga|ran|tie** – garantieren → 11
die **Gar|de|ro|be,** die Garderoben
die **Gar|di|ne,** die Gardinen
gä|ren, es gärt, es ist gegoren
gar|nie|ren, du garnierst → 11
der **Gar|ten,** die Gärten
der **Gärt|ner,** die Gärtner → 19 ★
die **Gärt|ne|rei** → 19 ★
die **Gärt|ne|rin,** die Gärtnerinnen ★
das **Gas,** die Gase
die **Gas|se** – das Gässchen → 8
der **Gast,** die Gäste
die **Gast|stät|te,** die Gaststätten → 9
die **Gau|di**
der **Gaul,** die Gäule
der **Gau|men,** die Gaumen
der **Gau|ner,** die Gauner

geb

das **Ge|bäck** (Plätzchen) → 19, 1 ★
die **Ge|bär|den|spra|che**
ge|bä|ren, sie gebärt
das **Ge|bäu|de,** die Gebäude → 20
das **Ge|bell** – bellen → 3
ge|ben, du gibst, er gab
das **Ge|bet,** die Gebete
ge|be|ten – bitten
das **Ge|biet,** die Gebiete → 11
ge|bil|det
das **Ge|bir|ge** – gebirgig
das **Ge|biss,** die Gebisse → 8
ge|bis|sen – beißen → 8
ge|blie|ben – bleiben → 11
ge|bo|gen – biegen
ge|bo|ren
das **Ge|bot,** die Gebote
ge|bo|ten – bieten
ge|bracht – bringen
ge|brannt – brennen → 5

★ Denke an das verwandte Wort mit **a**. ★

ge|brau|chen, du gebrauchst
die **Ge|brauchs|an|wei|sung**
ge|braucht
das **Ge|bre|chen** – gebrechlich
ge|bro|chen – brechen
die **Ge|bühr,** die Gebühren
ge|bun|den – binden
die **Ge|burt,** die Geburten
der **Ge|burts|tag,** die Geburtstage
das **Ge|büsch**

ged

ge|dacht – denken
das **Ge|dächt|nis** → 19
der **Ge|dan|ke,** die Gedanken
ge|dei|hen, es gedeiht, es gedieh
das **Ge|dicht** – dichten
das **Ge|drän|ge** – drängen → 19
ge|dro|schen – dreschen
die **Ge|duld** → 22
ge|dul|dig
ge|durft – dürfen

gee

ge|ehrt → 13 ✶
ge|eig|net ✶

gef

die **Ge|fahr,** die Gefahren → 12
ge|fähr|lich → 19
ge|fal|len, du gefällst mir, es gefiel mir → 3
ge|fäl|lig → 19, 3
ge|fäl|ligst → 19, 3
du **ge|fällst** mir – gefallen → 19, 3
der **Ge|fan|ge|ne,** die Gefangenen
die **Ge|fan|ge|ne**
das **Ge|fäng|nis,** die Gefängnisse → 19
das **Ge|fäß,** die Gefäße → 16
das **Ge|fie|der** → 11
es **ge|fiel** mir – gefallen → 11
ge|floch|ten – flechten
ge|flo|gen – fliegen
ge|flo|hen – fliehen
ge|flos|sen – fließen → 8
das **Ge|flü|gel**
ge|frä|ßig → 16
die **Ge|frier|tru|he** – gefrieren → 11
ge|fro|ren – frieren
das **Ge|fühl,** die Gefühle
ge|fun|den – finden

geg

ge|gan|gen – gehen
ge|gen
die **Ge|gend,** die Gegenden → 22
ge|gen|ei|nan|der
ge|gen|sei|tig
der **Ge|gen|stand,** die Gegenstände → 22
das **Ge|gen|teil**
ge|gen|über
die **Ge|gen|wart**
ge|glit|ten – gleiten → 9

✶ **-ee-** entsteht durch Zusammensetzen mit dem Wortbaustein **ge-**. ✶

G

ge|glom|men – glimmen → 4
der **Geg|ner,** die Gegner
die **Geg|ne|rin,** die Gegnerinnen
ge|gol|ten – gelten
ge|go|ren – gären
ge|gos|sen – gießen → 8
ge|grif|fen – greifen → 2

geh

ge|habt – haben
das **Ge|halt,** die Gehälter
ge|han|gen – hängen
ge|häs|sig → 19, 8 ★
das **Ge|häu|se** → 20
das **Ge|he|ge,** die Gehege
ge|heim
das **Ge|heim|nis,** die Geheimnisse
ge|hen, du gehst, er ging
ge|heu|er → 18
das **Ge|hirn**
die **Ge|hirn|er|schüt|te|rung** → 9
ge|ho|ben – heben
ge|hol|fen – helfen
das **Ge|hör** – hören
ge|hor|chen, du gehorchst
ge|hö|ren, es gehört mir
ge|hör|los
ge|hor|sam
der **Geh|steig,** die Gehsteige

gei

die **Gei|ge,** die Geigen
geil
die **Gei|sel,** die Geiseln
die **Gei|sel|nah|me** → 12
der **Geist,** die Geister
der **Geist|li|che,** die Geistlichen
der **Geiz** (Geizhals)
gei|zig

gek

ge|kannt – kennen → 5
ge|klun|gen – klingen
ge|knif|fen – kneifen → 2
ge|konnt – können → 5

gel

das **Ge|läch|ter** → 19 ★
ge|lähmt → 19 ★
das **Ge|län|de** → 19 ★
das **Ge|län|der,** die Geländer
es **ge|lang** – gelingen
ge|las|sen → 8
ge|launt
gelb → 21
das **Geld,** die Gelder → 22
die **Geld|bör|se,** die Geldbörsen
das **Ge|lee,** die Gelees → 13
ge|le|gen – liegen
die **Ge|le|gen|heit,** die Gelegenheiten
ge|le|gent|lich
ge|lehrt – lehren → 13
das **Ge|lenk,** die Gelenke
ge|len|kig
ge|lie|hen – leihen → 11

★ Denke an verwandte Wörter mit **a**. ★

ge|lin|gen, es gelingt, es gelang
ge|lit|ten – leiden → 9
ge|lockt → 1
ge|lo|gen – lügen
gel|ten, es gilt, es galt
ge|lun|gen – gelingen

gem

ge|mäch|lich
das **Ge|mäl|de,** die Gemälde → 19
ge|mein
die **Ge|mein|de,** die Gemeinden
der **Ge|mein|de|rat,** die Gemeinderäte
die **Ge|mein|de|rä|tin** → 19
die **Ge|mein|heit** ✶
ge|mein|sam
die **Ge|mein|schaft** ✶
ge|mie|den – meiden → 11
ge|mocht – mögen
ge|mol|ken – melken
das **Ge|mur|mel** – murmeln
das **Ge|mü|se,** die Gemüse
ge|musst – müssen → 8
ge|müt|lich

gen

ge|nannt – nennen → 5
ge|nau, genauso
die **Ge|nau|ig|keit** ✶
ge|neh|mi|gen, du genehmigst → 13
die **Ge|neh|mi|gung,** die Genehmigungen → 13 ✶
die **Ge|ne|ra|ti|on,** die Generationen
der **Ge|ne|ra|tor,** die Generatoren
ge|ni|al
das **Ge|nick** → 1
sich **ge|nie|ren,** du genierst dich → 11
ge|nie|ßen, du genießt, er genoss → 11, 16
der **Ge|ni|tiv**
ge|nom|men – nehmen → 4
er **ge|noss** – genießen → 8
ge|nos|sen – genießen → 8
ge|nug
ge|nü|gend – es genügt
der **Ge|nuss,** die Genüsse → 8

geo

die **Geo|met|rie**

gep

das **Ge|päck** (der Koffer) → 19, 1
ge|passt – passen → 8
ge|pfif|fen – pfeifen → 2
ge|presst – pressen → 8

geq

ge|quol|len – quellen → 3

ger

ge|ra|de
ge|ra|de|aus
ge|rannt – rennen → 5
das **Ge|rät,** die Geräte
ge|ra|ten, du gerätst, er geriet
du **ge|rätst** – geraten → 19
ge|räu|mig → 20

G

✶ **-ung, -heit, -keit, -schaft** sind Wortbausteine für Namenwörter (Nomen). ✶

G

das **Ge|räusch,** die Geräusche → 20
ge|recht
die **Ge|rech|tig|keit** ✱
das **Ge|richt,** die Gerichte
ge|rie|ben – reiben → 11
er **ge|riet** – geraten → 11
ge|ring
das **Ge|rip|pe,** die Gerippe → 6
ge|ris|sen – reißen → 8
ge|rit|ten – reiten → 9
gern [ger|ne]
ge|ro|chen – riechen
das **Ge|röll** → 3
ge|ron|nen – rinnen → 5
die **Gers|te**
der **Ge|ruch,** die Gerüche
das **Ge|rücht,** die Gerüchte
das **Ge|rüm|pel**
ge|run|gen – ringen
das **Ge|rüst,** die Gerüste

ges

ge|samt
ge|sandt – senden
der **Ge|sang** – singen
das **Ge|schäft,** die Geschäfte
ge|schäft|lich
es **ge|schah** – geschehen
ge|sche|hen, es geschieht
ge|scheit
das **Ge|schenk** – schenken
die **Ge|schich|te,** die Geschichten
die **Ge|schick|lich|keit** → 1 ✱
ge|schickt → 1
ge|schie|den – scheiden → 11
es **ge|schieht** – geschehen → 11
ge|schie|nen – scheinen → 11
das **Ge|schirr,** die Geschirre → 7
das **Ge|schlecht,** die Geschlechter
ge|schli|chen – schleichen
ge|schlif|fen – schleifen→ 2
ge|schlos|sen – schließen → 8
der **Ge|schmack** – schmecken → 1
ge|schmack|los → 1
ge|schmack|voll → 1, 3
ge|schmei|dig
ge|schmol|zen – schmelzen
das **Ge|schnat|ter** – schnattern → 9
ge|schnit|ten – schneiden → 9
ge|scho|ben – schieben
das **Ge|schöpf,** die Geschöpfe
ge|scho|ren – scheren
das **Ge|schoss,** die Geschosse → 8
ge|schos|sen – schießen → 8
das **Ge|schrei**
ge|schrie|ben – schreiben → 11
ge|schrien – schreien
ge|schrit|ten – schreiten → 9
das **Ge|schwätz** – schwatzen → 19, 10
ge|schwie|gen – schweigen → 11
die **Ge|schwin|dig|keit** – geschwind ✱
die **Ge|schwis|ter**

✱ **-keit** ist ein Wortbaustein für Namenwörter (Nomen). ✱

ge|schwol|len – schwellen → 3
ge|schwom|men – schwimmen → 4
ge|schwo|ren – schwören
ge|schwun|gen – schwingen
das **Ge|schwür,** die Geschwüre
ge|se|hen – sehen
der **Ge|sel|le,** die Gesellen → 3
die **Ge|sel|lig|keit** – gesellig → 3
die **Ge|sel|lin** → 3
die **Ge|sell|schaft,** die Gesellschaften → 3 ★
ge|sen|det – senden
das **Ge|setz,** die Gesetze → 10
ge|setz|lich → 10
das **Ge|sicht,** die Gesichter
ge|sof|fen – saufen → 2
das **Ge|spenst,** die Gespenster
ge|spens|tisch
ge|spien – speien
ge|spon|nen – spinnen → 5
das **Ge|spräch,** die Gespräche → 19
ge|sprä|chig → 19
ge|spro|chen – sprechen
ge|spros|sen – sprießen → 8
ge|sprun|gen – springen
die **Ge|stalt,** die Gestalten
ge|stal|ten, du gestaltest
ge|stan|den – gestehen
das **Ge|ständ|nis** – gestehen → 19 ★
der **Ge|stank** – stinken
ge|stat|tet – gestatten → 9
ge|ste|hen, du gestehst, er gestand
das **Ge|stell,** die Gestelle → 3
ges|tern, gestern Mittag
ge|stie|gen – steigen → 11
das **Ge|stö|ber**
ge|sto|chen – stechen
ge|stoh|len – stehlen → 14
ge|stor|ben – sterben
ge|stri|chen – streichen
das **Ge|strüpp** → 6
ge|stun|ken – stinken
ge|sund, gesünder, am gesündesten → 22
ge|sün|der, am gesündesten – gesund
die **Ge|sund|heit** ★
ge|sun|gen – singen
ge|sun|ken – sinken

get

ge|tan – tun
das **Ge|tränk** – trinken → 19
das **Ge|trei|de**
ge|trie|ben – treiben → 11
ge|trof|fen – treffen → 2
ge|trun|ken – trinken

gew

das **Ge|wächs** – wachsen → 19
die **Ge|walt,** die Gewalten
ge|wal|tig → 23

G

★ **-schaft, -nis, -heit** sind Wortbausteine für Namenwörter (Nomen). ★

G

das **Ge|wand,** die Gewänder → 22
ge|wandt (gewandt klettern) ✶
er **ge|wann** – gewinnen → 5
das **Ge|wäs|ser,** die Gewässer → 8
das **Ge|wehr,** die Gewehre → 13
das **Ge|weih,** die Geweihe
das **Ge|wer|be** (Gewerbegebiet)
die **Ge|werk|schaft,** die Gewerkschaften
ge|we|sen – sein
das **Ge|wicht,** die Gewichte
das **Ge|wim|mel** → 4
der **Ge|winn,** die Gewinne → 5
ge|win|nen, du gewinnst, er gewann → 5
ge|wiss → 8
das **Ge|wis|sen** → 8
ge|wis|sen|haft → 8
das **Ge|wit|ter,** die Gewitter → 9
ge|wo|gen – wiegen
ge|wöh|nen, du gewöhnst
die **Ge|wohn|heit,** die Gewohnheiten → 14
ge|wöhn|lich
ge|wohnt, gewöhnt → 14
das **Ge|wöl|be** – gewölbt
ge|wollt – wollen → 3
ge|won|nen – gewinnen → 5
ge|wor|ben – werben
ge|wor|den – werden
ge|wor|fen – werfen
ge|wun|den – sich winden
das **Ge|würz,** die Gewürze
ge|wusst – wissen → 8

gez

ge|zackt → 1
die **Ge|zei|ten**
ge|zo|gen – ziehen
ge|zwun|gen – zwingen

gi

du **gibst** – geben
der **Gie|bel,** die Giebel → 11
gie|rig → 11
gie|ßen, du gießt, es goss → 11, 16
das **Gift,** die Gifte
gif|tig
es **gilt** – gelten
er **ging** – gehen
der **Gip|fel,** die Gipfel
der **Gips** – gipsen
die **Gi|raf|fe,** die Giraffen → 2
die **Gir|lan|de,** die Girlanden
die **Gi|tar|re,** die Gitarren → 7
das **Git|ter,** die Gitter → 9

gl

der **Glanz** – glänzen
glän|zen, es glänzt → 19
das **Glas,** die Gläser
die **Gla|sur,** die Glasuren
glatt → 9
die **Glät|te** – glatt → 19, 9

✶ Es gibt nur wenige Wörter mit **-dt**, z.B.: Stadt, verwandt. ✶

die **Glat|ze,** die Glatzen → 10
der **Glau|be** – glauben
glau|ben, du glaubst
gläu|big → 20
gleich
das **Gleich|ge|wicht**
gleich|mä|ßig → 19, 16
gleich|zei|tig
das **Gleis,** die G[e]leise
glei|ten, du gleitest, er glitt (über das Eis gleiten)
der **Glet|scher,** die Gletscher
das **Glied,** die Glieder → 11, 22 ✱
glie|dern, du gliederst→ 11
glim|men, es glimmt, es glomm → 4
glimpf|lich
glit|schig
er **glitt** – gleiten → 9
glit|zern, es glitzert → 10
der **Glo|bus,** die Globusse [Globen]
die **Glo|cke,** die Glocken → 1
es **glomm** – glimmen → 4
glot|zen, du glotzt → 10
das **Glück** → 1
glu|ckern, es gluckert → 1
glück|lich → 1
der **Glück|wunsch,** die Glückwünsche → 1
glü|hen, es glüht
die **Glut,** die Gluten

gn

die **Gna|de**
gnä|dig → 19

go

der **Go|ckel,** die Gockel → 1
das **Gold** – golden → 22 ✱
die **Gon|del,** die Gondeln
der **Gong,** die Gongs
gön|nen, du gönnst → 5
der **Go|ril|la,** die Gorillas → 3
es **goss** – gießen → 8
der **Gott,** die Götter → 9

gr

das **Grab,** die Gräber → 21 ✱
der **Gra|ben,** die Gräben
gra|ben, du gräbst, er grub
du **gräbst** – graben → 19
der **Grad,** die Grade (unter null Grad) → 22 ✱
das **Gramm** → 4
die **Gram|ma|tik** → 4
die **Gran|ne,** die Grannen → 5
gran|tig
die **Grape|fruit,** die Grapefruits
das **Gras,** die Gräser
gräss|lich → 8
der **Grat** (Berggrat)
die **Grä|te,** die Gräten
gra|tis
gra|tu|lie|ren, du gratulierst → 11

✱ Beim Verlängern hörst du **-d** oder **-b** deutlich. ✱

grau
die **Gräu|el** (Gräueltaten)
grau|en, es graut mir
grau|en|haft
gräu|lich → 20
grau|sam
sich **grau|sen,** es graust mir [mich]
grau|sig
grei|fen, du greifst, er griff
der **Greis** (sehr alter Mann)
die **Grei|sin** (sehr alte Frau)
grell → 3
die **Gren|ze,** die Grenzen
Grie|chen|land – griechisch → 11
der **Grieß|brei** → 11, 16
der **Griff,** die Griffe → 2
er **griff** – greifen → 2
der **Grill** – grillen → 3
die **Gril|le,** die Grillen → 3
gril|len, du grillst → 3
die **Gri|mas|se,** die Grimassen → 8
grim|mig → 4
grin|sen, du grinst
die **Grip|pe** (Darmgrippe) → 6
grob, gröber, am gröbsten → 21
grö|ber, am gröbsten – grob
grö|len, du grölst
grol|len, du grollst mir → 3
groß, größer, am größten → 16
Groß|bri|tan|ni|en – britisch
die **Grö|ße** – groß → 16
die **Groß|el|tern** → 16
grö|ßer, am größten – groß → 16
er **grub** – graben → 21
die **Gru|be,** die Gruben
grü|beln, du grübelst
grün
der **Grund,** die Gründe → 22 ✶
grün|den, du gründest ✶
gründ|lich ✶
der **Grund|riss,** die Grundrisse → 8 ✶
grund|sätz|lich → 19, 10 ✶
die **Grund|schu|le** ✶
grun|zen, du grunzt
die **Grup|pe,** die Gruppen → 6
gru|se|lig
sich **gru|seln,** es gruselt mich
der **Gruß,** die Grüße → 16
grü|ßen, du grüßt → 16

gu

gu|cken, du guckst → 1
das [der] **Gu|lasch**
die **Gül|le** → 3
gül|tig
der [das] **Gum|mi,** die Gummis → 4
der **Gum|mi|twist** → 4
güns|tig
gur|geln, du gurgelst
die **Gur|ke,** die Gurken
gur|ren (die Taube gurrt) → 7

✶ Denke an den gemeinsamen Wortstamm. ✶

der **Gurt,** die Gurte
der **Gür|tel,** die Gürtel
der **Guss,** die Güsse
(Regenguss) → 8
gut, besser, am besten
das **Gut,** die Güter
das **Gu|te,** alles Gute
die **Gü|te** – gütig
der **Gü|ter|bahn|hof** → 12
gut|mü|tig

gy

das **Gym|na|si|um,** die Gymnasien
die **Gym|nas|tik**

H

ha

das **Haar,** die Haare → 12
haa|rig → 12
ha|ben, du hast, er hatte
hab|gie|rig → 11
der **Ha|bicht,** die Habichte
die **Hach|se** [Haxe], die Hachsen
die **Ha|cke,** die Hacken → 1
ha|cken, du hackst → 1
der **Ha|fen,** die Häfen
der **Ha|fer**
die **Haft** – der Häftling
haf|ten, es haftet
die **Ha|ge|but|te,**
die Hagebutten → 9
der **Ha|gel** – hageln
ha|geln, es hagelt
der **Hahn,** die Hähne → 12
der **Hai,** die Haie → 17
hä|keln, du häkelst → 19
der **Ha|ken,** die Haken
halb → 21
hal|bie|ren, du halbierst → 11
er **half** – helfen
die **Hälf|te,** die Hälften
die **Hal|le,** die Hallen → 3
hal|lo → 3
der **Halm,** die Halme
die **Ha|lo|gen|lam|pe**
der **Hals,** die Hälse ✶
Halt machen
halt|bar – die Haltbarkeit
hal|ten, du hältst, er hielt
du **hältst** – halten → 19
die **Hal|tung**
Ham|burg – hamburgisch
der **Ham|bur|ger,** die Hamburger
hä|misch
der **Ham|mel,** die Hammel → 4
der **Ham|mer,** die Hämmer → 4
häm|mern, du hämmerst → 19, 4
der **Ham|pel|mann**
ham|peln, du hampelst

✶ Nur wenige Wörter enden mit **-ls**, z.B.: als, damals, jemals, niemals. ✶

der **Hams|ter,** die Hamster
hams|tern, du hamsterst
die **Hand,** die Hände → 22
der **Han|del** – handeln
han|deln, du handelst
der **Händ|ler,** die Händler → 19 ✶
die **Händ|le|rin** → 19 ✶
die **Hand|lung,** die Handlungen
der **Hand|wer|ker,** die Handwerker
die **Hand|wer|ke|rin**
das **Han|dy,** die Handys
der **Hang,** die Hänge
hän|gen, du hängst, er hing [hängte] ✶
du **hängst** – hängen ✶
hän|seln, du hänselst
han|tie|ren, du hantierst → 11
der **Hap|pen,** die Happen → 6
hap|py (happy sein)
das **Här|chen,** die Härchen ✶
die **Hard|ware**
die **Har|ke** – harken
harm|los
die **Har|pu|ne,** die Harpunen
hart, härter, am härtesten
die **Här|te** – hart → 19 ✶
här|ter, am härtesten – hart → 19 ✶
hart|nä|ckig → 19, 1 ✶
das **Harz,** die Harze
har|zig

ha|schen, du haschst
der **Ha|se,** die Hasen
die **Ha|sel|nuss,** die Haselnüsse → 8
der **Hass** – hassen → 8
has|sen, du hasst → 8
häss|lich → 8 ✶
du **hast** – haben
has|ten, du hastest
has|tig – die Hast
er **hat** – haben
er **hat|te** – haben → 9
der **Hauch** – hauchen
hau|chen, du hauchst
hau|en, du haust
der **Hau|fen,** die Haufen
häu|fig → 20 ✶
das **Haupt,** die Häupter
der **Häupt|ling,** die Häuptlinge → 20 ✶
die **Haupt|sa|che,** die Hauptsachen
die **Haupt|schu|le**
das **Haus,** die Häuser
der **Haus|ar|rest**
nach **Hau|se** [nachhause]
hau|sen, du haust
der **Haus|halt,** die Haushalte
hau|sie|ren → 11
die **Haut,** die Häute
die **Ha|xe** [Hachse], die Haxen

✶ Denke an verwandte Wörter mit **a** oder **au**. ✶

he

die **Heb|am|me,** die Hebammen → 4
der **He|bel,** die Hebel
he|ben, du hebst, er hob
der **Hecht,** die Hechte
hech|ten, du hechtest
die **He|cke,** die Hecken → 1
das **Heer,** die Heere → 13
die **He|fe** (der Hefeteig)
das **Heft,** die Hefte
hef|tig
das **Heft|pflas|ter**

hei

die **Hei|de** (das Heidekraut)
der **Hei|de,** die Heiden (Nichtchrist)
die **Hei|del|bee|re** → 13
hei|kel
heil
hei|len, es heilt
hei|lig
der **Hei|li|ge Abend**
heil|los
heim (heimgehen)
das **Heim,** die Heime
die **Hei|mat**
heim|lich
heim|wärts
das **Heim|weh**
die **Hei|rat,** die Heiraten
hei|ra|ten, du heiratest
hei|ser
die **Hei|ser|keit**
heiß – am heißesten → 16
hei|ßen, du heißt, er hieß → 16
hei|ter
hei|zen, du heizt
die **Hei|zung,** die Heizungen

hel

der **Held,** die Helden → 22
die **Hel|din,** die Heldinnen
hel|fen, du hilfst, er half
hell → 3
die **Hel|lig|keit** → 3
der **Helm,** die Helme

hem

das **Hemd,** die Hemden → 22
die **Hem|mung** – hemmen → 4

hen

der **Hengst,** die Hengste
der **Hen|kel,** die Henkel
die **Hen|ne,** die Hennen → 5

her

her
he|rab ✱
he|rauf ✱
he|raus ✱
herb → 21
her|bei
die **Her|ber|ge,** die Herbergen
der **Herbst**
herbst|lich
der **Herd,** die Herde (Elektroherd)

H

✱ Du kannst auch nach dem **r** trennen, z. B.: **her-ab**. ✱

die **Her|de,** die Herden
(Schafherde)
he|rein ✶
der **He|ring,** die Heringe
der **Herr,** die Herren → 7
die **Her|rin,** die Herrinnen → 7
herr|lich → 7
herr|schen, du herrschst → 7
die **Her|stel|lung** – herstellen → 3
he|rü|ber ✶
he|rum ✶
he|run|ter ✶
her|vor
her|vor|ra|gend
das **Herz,** die Herzen
herz|lich
hes
Hes|sen – hessisch → 8
het
die **Het|ze** → 10
het|zen, du hetzt → 10
heu
das **Heu** → 18
heu|cheln, du heuchelst → 18
heu|er → 18
heu|len, du heulst → 18
die **Heu|schre|cke,**
die Heuschrecken → 18, 1
heu|te, heute Abend → 18
hex
die **He|xe,** die Hexen
he|xen, du hext
hi
der **Hieb,** die Hiebe → 11, 21
er **hielt** – halten → 11
hier → 11
hier|her → 11
er **hieß** – heißen → 11, 16
Hi-Fi (**Hi**gh-**Fi**delity)
die **Hil|fe,** die Hilfen
hilf|los
hilfs|be|reit
du **hilfst** – helfen
die **Him|bee|re,**
die Himbeeren → 13
der **Him|mel** – himmlisch → 4
hin
hi|nab ✶
hi|nauf ✶
hi|naus ✶
das **Hin|der|nis,** die Hindernisse
hi|nein ✶
er **hing** – hängen
hin|ken, du hinkst
hin|ten
hin|ter
hin|ter|ei|nan|der ✶
der **Hin|ter|grund,**
die Hintergründe → 22
der **Hin|ter|halt** – hinterhältig
hin|ter|her
hin|ter|lis|tig

✶ Du kannst diese Wörter auch anders trennen, z. B.: **her-ein**, **hin-ab**. ✶

der **Hin|tern,** die Hintern
hin|ter|rücks → 1
hi|nü|ber
hi|nun|ter
der **Hin|weis** – hinweisen
das **Hirn,** die Hirne
der **Hirsch,** die Hirsche
der **Hirt [Hir|te],** die Hirten
der **Hit,** die Hits
die **Hit|pa|ra|de**
die **Hit|ze** → 10
hit|ze|frei → 10

ho

er **hob** – heben → 21
das **Hob|by,** die Hobbys ✸
der **Ho|bel** – hobeln
hoch, höher, am höchsten
höchs|tens
die **Hoch|zeit,** die Hochzeiten
die **Ho|cke,** die Hocken → 1
ho|cken, du hockst → 1
der **Ho|cker,** die Hocker → 1
der **Ho|den,** die Hoden
der **Hof,** die Höfe
hof|fen, du hoffst → 2
hof|fent|lich → 2
die **Hoff|nung,** die Hoffnungen → 2
höf|lich
die **Höf|lich|keit**
die **Hö|he** – hoch
hö|her, am höchsten – hoch
hohl → 14
die **Höh|le** (Tropfsteinhöhle)
der **Hohn** – höhnisch → 14
der **Ho|kus|po|kus**
ho|len, du holst
Hol|land – holländisch → 3
die **Höl|le** (Himmel und Hölle) → 3
höl|lisch → 3
hol|pe|rig [holp|rig]
das **Holz,** die Hölzer – hölzern
die **Home|page,** die Homepages
der **Ho|nig**
der **Hop|fen**
hopp → 6
hop|peln, du hoppelst → 6
hopp|la → 6
hop|sen, du hopst
hör|bar
hor|chen, du horchst
hö|ren, du hörst
der **Hö|rer** – hören
die **Hö|re|rin,** die Hörerinnen
der **Ho|ri|zont**
das **Horn,** die Hörner
das **Hörn|chen,** die Hörnchen
die **Hor|nis|se,** die Hornissen → 8
das **Ho|ros|kop,** die Horoskope
der **Hort,** die Horte
die **Ho|se,** die Hosen
das **Hos|pi|tal,** die Hospitäler
die **Hos|tie,** die Hostien

H

✸ Es gibt nur wenige Wörter mit **-bb-**, z.B.: Ebbe, Robbe. ✸

das **Ho|tel,** die Hotels

hu

hübsch
der **Hub|schrau|ber,** die Hubschrauber
hu|cke|pack → 1
der **Huf,** die Hufe
die **Hüf|te,** die Hüften
der **Hü|gel,** die Hügel
hü|ge|lig [hüg|lig]
das **Huhn,** die Hühner → 15
die **Hül|le,** die Hüllen → 3
die **Hül|se,** die Hülsen
die **Hum|mel,** die Hummeln → 4
der **Hu|mor**
hum|peln, du humpelst
der **Hu|mus** (die Humuserde)
der **Hund,** die Hunde → 22
hun|dert, einhundert
der **Hun|ger** ★
hun|gern, du hungerst ★
hung|rig ★
die **Hu|pe,** die Hupen
hu|pen, du hupst
hüp|fen, du hüpfst
die **Hür|de,** die Hürden
hur|ra → 7
hu|schen, du huschst
der **Hus|ten**
hus|ten, du hustest
der **Hut,** die Hüte (Sonnenhut)
hü|ten, du hütest
die **Hüt|te** (Hundehütte) → 9

hy

der **Hyd|rant,** die Hydranten
die **Hy|gi|e|ne**
hy|gi|e|nisch

I

i

der **IC,** die ICs (**I**nter**c**ity)
der **ICE,** die ICEs (**I**nter**c**ity**e**xpress)
ich
ide|al
die **Idee,** die Ideen → 13
der **Idi|ot,** die Idioten
der **Igel,** die Igel
das **Ig|lu,** die Iglus
ihm (ihm zuhören)
ihn (ihn loben)
ih|nen (ihnen begegnen)
ihr, ihre
die **Il|lust|rier|te,** die Illustrierten → 3, 11

im

im (im Haus)
der **Im|biss,** die Imbisse → 8
der **Im|ker,** die Imker

★ Denke an den gemeinsamen Wortstamm. ★

die **Im|ke|rin**
im|mer (immer wieder) → 4
imp|fen, du wirst geimpft
die **Imp|fung,** die Impfungen
im|po|nie|ren, du imponierst mir → 11

in

in (in der Schule)
in|dem
in|des|sen → 8
der **In|di|a|ner,** die Indianer
die **In|di|a|ne|rin,** die Indianerinnen
die **In|dust|rie,** die Industrien
in|ei|nan|der
die **In|fek|ti|on,** die Infektionen
der **In|fi|ni|tiv,** die Infinitive
die **In|for|ma|ti|on** – informieren
der **In|ge|ni|eur,** die Ingenieure
die **In|ge|ni|eu|rin**
der **In|ha|ber,** die Inhaber
die **In|ha|be|rin,** die Inhaberinnen
der **In|halt,** die Inhalte
die **In|li|ner** (Inlineskates)
in|nen (innen und außen) → 5
in|ner|halb → 5
in|nig → 5
ins (ins Haus gehen)
das **In|sekt,** die Insekten
die **In|sel,** die Inseln
das **In|se|rat,** die Inserate
ins|ge|samt
der **In|spek|tor,** die Inspektoren
die **In|spek|to|rin**
der **In|stal|la|teur,** die Installateure → 3
in|stal|lie|ren, du installierst → 3, 11
der **In|stinkt,** die Instinkte
das **In|sti|tut,** die Institute
das **In|stru|ment,** die Instrumente
in|tel|li|gent → 3
die **In|tel|li|genz** → 3
in|ten|siv
in|te|res|sant → 8 ✱
das **In|te|res|se,** die Interessen → 8 ✱
sich **in|te|res|sie|ren,** du interessierst dich → 8, 11 ✱
das **In|ter|nat,** die Internate
in|ter|na|ti|o|nal
das **In|ter|net**
das **In|ter|view** – interviewen
die **Inu|it** (Eskimos)
in|zwi|schen

ir

ir|gend|et|was
ir|gend|je|mand, irgendwer
ir|gend|wie
ir|gend|wo
Ir|land – irisch
iro|nisch – die Ironie
ir|ren, du irrst → 7
der **Irr|tum** – irrtümlich

I

✱ Du kannst auch nach **inter-** trennen. ✱

is

der **Is|lam** – islamisch
das **Iso|lier|band** – isolieren → 11, 22
Is|ra|el – israelisch
du **isst** – essen → 8
es **ist,** es war – sein

it

Ita|li|en – italienisch

J

ja

ja
die **Jacht** [Yacht], die Jachten ★
die **Ja|cke,** die Jacken → 1
die **Jagd,** die Jagden → 22
ja|gen, du jagst
der **Jä|ger** – jagen → 19
das **Jahr,** die Jahre → 12
das **Jahr|hun|dert** → 12
jähr|lich → 19
jäh|zor|nig
die **Ja|lou|sie,** die Jalousien ★
der **Jam|mer** → 4
jäm|mer|lich → 19, 4
jam|mern, du jammerst → 4
der **Ja|nu|ar**
Ja|pan – japanisch
jap|sen, du japst
jä|ten, du jätest
die **Jau|che**
jauch|zen, du jauchzt
jau|len, du jaulst
ja|wohl → 14
der **Jazz** (die Jazzmusik) ★

je

je
die **Jeans** ★
je|de, jeder, jedes
je|den|falls → 3
je|doch
der **Jeep,** die Jeeps ★
je|mals
je|mand → 22
je|ne, jener, jenes
jen|seits
Je|sus
jetzt → 10
je|weils

jo

der **Job,** die Jobs ★
job|ben, du jobbst ★
das **Jod**
jo|deln – der Jodler
der [das] **Jo|ga** [Yoga] ★
jog|gen, du joggst ★
der [das] **Jo|ghurt** [Jogurt], die Joghurts
die **Jo|han|nis|bee|re** → 5, 13

★ Dies sind Wörter aus anderen Sprachen. ★

joh|len, du johlst → 14
der **Jo|ker,** die Joker
jong|lie|ren, du jonglierst → 11
der **Jour|na|list,** die Journalisten
die **Jour|na|lis|tin**

ju

der **Ju|bel** – jubeln
das **Ju|bi|lä|um,** die Jubiläen
juch|zen, du juchzt
ju|cken, es juckt → 1
der **Ju|de,** die Juden
das **Ju|den|tum** – jüdisch
die **Jü|din,** die Jüdinnen
das **Ju|do**
die **Ju|gend**
die **Ju|gend|her|ber|ge**
ju|gend|lich ✶
der **Ju|li**
jung, jünger, am jüngsten
das **Jun|ge** (Tierkind)
der **Jun|ge,** die Jungen
jün|ger, am jüngsten – jung
der **Jung|ge|sel|le** → 3
die **Jung|ge|sel|lin** → 3
der **Ju|ni**
der **Ju|ni|or,** die Junioren
die **Ju|ni|o|rin,** die Juniorinnen
die **Ju|ry**
das **Ju|wel,** die Juwelen
der **Ju|we|lier** → 11
der **Jux**

K

ka

sich **kab|beln,** du kabbelst dich (zanken)
das **Ka|bel,** die Kabel
die **Ka|bi|ne,** die Kabinen
das **Kab|rio** [Cabrio]
die **Ka|chel,** die Kacheln
der **Kä|fer,** die Käfer
der **Kaf|fee** → 2, 13
der **Kä|fig,** die Käfige → 23
kahl → 12
der **Kahn,** die Kähne → 12
der **Kai** [Quai] (die Kaimauer) → 17
der **Kai|ser,** die Kaiser → 17
die **Kai|se|rin,** die Kaiserinnen → 17
der **Kai|ser|schmar|ren** → 17, 7
der **Ka|jak,** die Kajaks
der **Ka|kao** (die Kakaobohnen)
der **Kak|tus** [die Kaktee], die Kakteen
das **Kalb,** die Kälber → 21
der **Ka|len|der,** die Kalender
der **Kalk** – kalken
die **Ka|lo|rie,** die Kalorien
kalt, kälter, am kältesten
die **Käl|te** – kalt → 19
käl|ter, am kältesten – kalt → 19

✶ Wörter mit dem Wortbaustein **-lich** sind meist Wiewörter (Adjektive). ✶

kam

er **kam** – kommen
das **Ka|mel,** die Kamele
die **Ka|me|ra,** die Kameras
die **Ka|me|rad|schaft**
der **Ka|mil|len|tee** → 3, 13
der **Ka|min,** die Kamine
der **Kamm,** die Kämme → 4
sich **käm|men,**
du kämmst dich → 19, 4 ✶
die **Kam|mer,** die Kammern → 4
der **Kampf,** die Kämpfe
kämp|fen, du kämpfst → 19 ✶

kan

der **Ka|nal,** die Kanäle
die **Ka|na|li|sa|ti|on** – kanalisieren
der **Ka|na|ri|en|vo|gel,**
die Kanarienvögel
der **Kan|di|dat,** die Kandidaten
die **Kan|di|da|tin**
das **Kän|gu|ru,** die Kängurus
das **Ka|nin|chen,** die Kaninchen
der **Ka|nis|ter,** die Kanister
ich **kann** – können → 5
die **Kan|ne,** die Kannen → 5
du **kannst** – können → 5
er **kann|te** – kennen → 5
der **Ka|non,** die Kanons
die **Ka|no|ne,** die Kanonen
die **Kan|te** (Tischkante)
kan|tig
die **Kan|ti|ne,** die Kantinen
das **Ka|nu,** die Kanus
die **Kan|zel,** die Kanzeln
der **Kanz|ler**
die **Kanz|le|rin**

kap

die **Ka|pel|le,** die Kapellen → 3
ka|pie|ren, du kapierst → 11
der **Ka|pi|tän,** die Kapitäne
das **Ka|pi|tel,** die Kapitel
der **Kap|lan,** die Kapläne
die **Kap|pe,** die Kappen → 6
die **Kap|sel,** die Kapseln
ka|putt → 9
die **Ka|pu|ze,** die Kapuzen

kar

das **Ka|ra|te**
die **Ka|ra|wa|ne,** die Karawanen
der **Kar|di|nal,** die Kardinäle
der **Kar|frei|tag**
ka|riert → 11
die **Ka|ri|es**
der **Kar|ne|val**
das **Kar|ni|ckel,** die Karnickel → 1
das **Ka|ro,** die Karos
die **Ka|ros|se|rie,** die Karosserien
die **Ka|rot|te,** die Karotten → 9
der **Karp|fen,** die Karpfen
die **Kar|re,** die Karren → 7
die **Kar|ri|e|re,** die Karrieren
die **Kar|te,** die Karten

K

✶ Denke an das verwandte Wort mit **a**. ✶

die **Kar|tei,** die Karteien
die **Kar|tof|fel,** die Kartoffeln → 2
der **Kar|ton,** die Kartons
das **Ka|rus|sell,** die Karussells → 8, 3

kas

der **Kä|se**
die **Ka|ser|ne,** die Kasernen
der **Kas|per[l]**
die **Kas|se** (Klassenkasse) → 8
die **Kas|set|te,** die Kassetten
(der Kassettenrekorder) → 9
kas|sie|ren, du kassierst → 8, 11
die **Kas|ta|nie,** die Kastanien
der **Kas|ten,** die Kästen

kat

der **Ka|ta|log,** die Kataloge
der **Ka|ta|ly|sa|tor** (Kat)
die **Ka|ta|stro|phe** – katastrophal
der **Ka|ter,** die Kater
ka|tho|lisch – der Katholik
die **Kat|ze,** die Katzen → 10

kau

das **Kau|der|welsch**
kau|en, du kaust
kau|ern, du kauerst
der **Kauf,** die Käufe
kau|fen, du kaufst
der **Käu|fer,** die Käufer → 20
die **Käu|fe|rin** → 20
der **Kau|gum|mi,**
die Kaugummis → 4
die **Kaul|quap|pe,**
die Kaulquappen → 6
kaum
der **Kauz,** die Käuze

ke

der **Ke|gel,** die Kegel
ke|geln, du kegelst
die **Keh|le** (der Kehlkopf) → 13
keh|ren, du kehrst → 13
kei|fen, du keifst
der **Keil,** die Keile
die **Kei|le|rei** – sich keilen
der **Keim,** die Keime
kei|men, es keimt
der **Keim|ling,** die Keimlinge
kein
kei|ne, keiner, keines
kei|nes|falls → 3
kei|nes|wegs
der [das] **Keks,** die Kekse ✶
der **Kelch,** die Kelche
die **Kel|le** (Schöpfkelle) → 3
der **Kel|ler,** die Keller → 3
der **Kell|ner,** die Kellner → 3
die **Kell|ne|rin,** die Kellnerinnen → 3
ken|nen, du kennst,
er kannte → 5
das **Kenn|zei|chen** → 5
kenn|zeich|nen,
du kennzeichnest → 5
ken|tern, du kenterst

K

✶ Meist wird der Laut **ks** anders geschrieben: **chs** oder **x**. ✶

die **Ke|ra|mik**
die **Ker|be** – einkerben
der **Kerl,** die Kerle
der **Kern,** die Kerne
die **Ker|ze,** die Kerzen
ker|zen|ge|ra|de
der **Kes|sel,** die Kessel → 8
der [das] **Ket|schup** [Ketchup]
die **Ket|te,** die Ketten → 9
keu|chen, du keuchst → 18
der **Keuch|hus|ten** → 18
die **Keu|le,** die Keulen → 18
das **Key|board,** die Keyboards

ki

ki|chern, du kicherst
der **Kid|nap|per** – kidnappen
der **Kie|fer,** die Kiefer (Oberkiefer) → 11
die **Kie|fer,** die Kiefern (der Nadelbaum) → 11
der **Kiel,** die Kiele → 11
die **Kie|me,** die Kiemen → 11
der **Kies** → 11
der **Kie|sel,** die Kiesel → 11
das **Ki|lo|gramm** → 4
der **Ki|lo|me|ter,** die Kilometer
der **Ki|lo|me|ter|zäh|ler** → 19
das **Kind,** die Kinder → 22 ✶
kin|disch ✶
kind|lich ✶
das **Kinn** (der Kinnhaken) → 5
das **Ki|no,** die Kinos
der **Ki|osk,** die Kioske
kip|pen, du kippst → 6
die **Kir|che,** die Kirchen (Dorfkirche)
die **Kirch|weih**
die **Kir|mes**
die **Kir|sche** (Sauerkirsche)
das **Kis|sen,** die Kissen → 8
die **Kis|te,** die Kisten
die **Ki|ta** (Kindertagesstätte)
kit|schig – der Kitsch
der **Kitt** – kitten → 9
der **Kit|tel,** die Kittel → 9
das **Kitz,** die Kitze → 10
kit|ze|lig [kitz|lig] → 10
kit|zeln, du kitzelst → 10

kla

kläf|fen, er kläfft → 2
die **Kla|ge** – klagen
kla|gen, du klagst
kläg|lich → 19
die **Klamm** (Schlucht) → 4
klamm (klamme Finger) → 4
die **Klam|mer,** die Klammern → 4
sich **klam|mern,** du klammerst dich → 4
die **Kla|mot|ten** → 9
der **Klang,** die Klänge
es **klang** – klingen
die **Klap|pe,** die Klappen → 6

✶ Denke an den gemeinsamen Wortstamm. ✶

klap|pen, es klappt → 6
klap|pe|rig [klapp|rig] → 6
klap|pern, du klapperst → 6
der **Klaps,** die Klapse
klar
die **Klär|an|la|ge** – klären → 19
klä|ren, du klärst → 19
die **Klas|se,** die Klassen → 8
klas|se (ein klasse Film)
der **Klatsch**
klat|schen, du klatschst
klau|ben, du klaubst (aufheben)
klau|en, du klaust
das **Kla|vier,** die Klaviere → 11

kle

kle|ben, du klebst
kleb|rig
der **Kleb|stoff,** die Klebstoffe → 2
kle|ckern, du kleckerst → 1
der **Klecks,** die Kleckse → 1
kleck|sen, du kleckst → 1
der **Klee** → 13
das **Kleid,** die Kleider → 22
die **Klei|dung** – kleiden ✶
klein
die **Klei|nig|keit,** die Kleinigkeiten ✶
klein|lich
der **Kleis|ter** – kleistern
die **Klem|me** (in der Klemme sein)
klem|men, es klemmt → 4
der **Klemp|ner,** die Klempner
die **Klet|te** (der Klettverschluss) → 9
klet|tern, du kletterst → 9

kli

das **Kli|ma**
der **Klimm|zug,** die Klimmzüge → 4
klim|pern, du klimperst
die **Klin|ge,** die Klingen
die **Klin|gel,** die Klingeln
klin|geln, du klingelst
klin|gen, es klingt, es klang
die **Kli|nik,** die Kliniken
die **Klin|ke,** die Klinken
die **Klip|pe,** die Klippen → 6
klir|ren, es klirrt → 7

klo

das **Klo,** die Klos
klö|nen, du klönst
klop|fen, du klopfst
der **Klops,** die Klopse
der **Kloß,** die Klöße → 16
das **Klos|ter,** die Klöster
der **Klotz,** die Klötze → 10

klu

der **Klub** [Club], die Klubs
klug, klüger, am klügsten → 23
klü|ger, am klügsten – klug
die **Klug|heit** ✶
der **Klum|pen,** die Klumpen

kn

knab|bern, du knabberst

✶ **-ung, -heit, -keit** sind Wortbausteine für Namenwörter (Nomen). ✶

der **Kna|be,** die Knaben
das **Knä|cke|brot** → 1
kna|cken, du knackst → 1
der **Knacks** → 1
der **Knall** → 3
knal|len, es knallt → 3
knapp → 6
knar|ren, es knarrt → 7
der **Knatsch** – knatschig
knat|tern, es knattert → 9
das [der] **Knäu|el,** die Knäuel → 20
knau|se|rig [knaus|rig] ★
knau|sern, du knauserst
der **Knecht,** die Knechte
knei|fen, du kneifst, er kniff
die **Knei|pe,** die Kneipen
kne|ten, du knetest
der **Knet|gum|mi** → 4
der **Knick,** die Knicke → 1
kni|cken, du knickst → 1
kni|cke|rig [knick|rig] → 1 ★
der **Knicks,** die Knickse → 1
das **Knie,** die Knie
knien, du kniest
der **Kniff** (Trick) → 2
er **kniff** – kneifen → 2
knif|fe|lig [kniff|lig]→ 2 ★
knip|sen, du knipst
der **Knirps,** die Knirpse
knir|schen, du knirschst
knis|tern, es knistert
knit|tern, es knittert → 9
kno|beln, du knobelst
der **Knob|lauch**
der **Knö|chel,** die Knöchel
der **Kno|chen,** die Knochen
der **Knö|del,** die Knödel
die **Knol|le,** die Knollen → 3
der **Knopf,** die Knöpfe
knöp|fen, du knöpfst
der **Knor|pel,** die Knorpel
knor|pe|lig [knorp|lig] ★
knor|rig [knor|zig] → 7 ★
die **Knos|pe,** die Knospen
der **Kno|ten,** die Knoten
kno|ten, du knotest
knül|len, du knüllst → 3
knüp|fen, du knüpfst
der **Knüp|pel,** die Knüppel → 6
knur|ren, du knurrst → 7
knus|pe|rig [knusp|rig] ★

ko

k. o. sein
der **Ko|bold,** die Kobolde → 22
der **Koch,** die Köche
ko|chen, du kochst
der **Ko|cher** (Campingkocher)
die **Kö|chin,** die Köchinnen
der **Kö|der** – ködern
der **Kof|fer,** die Koffer → 2
der **Kohl** → 14
die **Koh|le,** die Kohlen → 14

★ Wörter mit der Endung **-ig** sind meist Wiewörter (Adjektive). ★

die **Ko|kos|nuss** → 8
der **Kol|ben,** die Kolben
der **Kol|le|ge,** die Kollegen
die **Kol|le|gin,** die Kolleginnen
die **Ko|lon|ne,** die Kolonnen → 5

kom

der **Kom|bi,** die Kombis
kom|bi|nie|ren, du kombinierst → 11 ✱
der **Ko|met,** die Kometen
kom|for|ta|bel
ko|misch – der Komiker
das **Kom|ma,** die Kommas → 4
das **Kom|man|do** – kommandieren → 4
kom|men, du kommst, er kam → 4
der **Kom|men|tar,** die Kommentare
der **Kom|mis|sar** → 4, 8
die **Kom|mis|sa|rin** → 4, 8
die **Kom|mo|de,** die Kommoden → 4
die **Kom|mu|ni|on** → 4
kom|mu|ni|zie|ren, du kommunizierst → 4, 11 ✱
die **Ko|mö|die,** die Komödien
der **Kom|pass,** die Kompasse → 8
kom|plett → 9
das **Kom|pli|ment,** die Komplimente
kom|pli|ziert → 11
kom|po|nie|ren, du komponierst → 11 ✱
der **Kom|post|hau|fen**
das **Kom|pott** → 9
der **Kom|pro|miss,** die Kompromisse

kon

die **Kon|di|ti|on,** die Konditionen
der **Kon|di|tor,** die Konditoren
die **Kon|di|to|rei,** die Konditoreien
die **Kon|di|to|rin**
die **Kon|fe|renz,** die Konferenzen
die **Kon|fes|si|on,** die Konfessionen
das **Kon|fet|ti** → 9
der **Kon|fir|mand** → 22
die **Kon|fir|man|din**
die **Kon|fir|ma|ti|on** – konfirmiert werden
die **Kon|fi|tü|re,** die Konfitüren
der **Kon|flikt,** die Konflikte
der **Kö|nig,** die Könige → 23
die **Kö|ni|gin,** die Königinnen
die **Kon|kur|renz** → 7
kön|nen, du kannst, er konnte → 5
er **konn|te** – können → 5
der **Kon|rek|tor,** die Konrektoren
die **Kon|rek|to|rin**
die **Kon|ser|ve,** die Konserven
der **Kon|so|nant,** die Konsonanten
kon|stru|ie|ren, du konstruierst → 11 ✱
der **Kon|sum** – der Konsument
der **Kon|takt,** die Kontakte

K

✱ Wörter mit der Endung **-ieren** sind meist Tunwörter (Verben). ✱

der **Kon|ti|nent,** die Kontinente
das **Kon|to,** die Konten
die **Kon|trol|le** → 3
kon|trol|lie|ren, du kontrollierst → 3, 11
die **Kon|zen|tra|ti|on**
sich **kon|zen|trie|ren,** du konzentrierst dich → 11
das **Kon|zert,** die Konzerte

kop

der **Kopf,** die Köpfe
das **Kopf|weh**
die **Ko|pie,** die Kopien
ko|pie|ren, du kopierst → 11

kor

der **Ko|ran**
der **Korb,** die Körbe → 21
die **Kor|del,** die Kordeln
der **Kor|ken,** die Korken
das **Korn,** die Körner
der **Kör|per,** die Körper
kor|rekt → 7
die **Kor|rek|tur,** die Korrekturen → 7
der **Kor|ri|dor,** die Korridore → 7
kor|ri|gie|ren, du korrigierst → 7, 11

kos

der **Kos|mo|naut,** die Kosmonauten
kost|bar
die **Kos|ten** – kosten
kos|ten, du kostest
köst|lich
das **Kos|tüm** – kostümieren

kot

der **Kot**
das **Ko|te|lett,** die Koteletts → 9
der **Kö|ter,** die Köter (Hund)
der **Kot|flü|gel**
kot|zen, du kotzt → 10

kr

krab|beln, du krabbelst
der **Krach**
kra|chen, es kracht
kräch|zen, du krächzt
die **Kraft,** die Kräfte
kräf|tig → 19
der **Kra|gen,** die Kragen [Krägen]
die **Krä|he,** die Krähen
krä|hen, du krähst
kra|kee|len, du krakeelst → 13
die **Kral|le,** die Krallen → 3
kra|men, du kramst
der **Kram** (Kramladen)
der **Krampf,** die Krämpfe
der **Kran,** die Kräne
krank, kränker, am kränksten ✶
krän|ken, du kränkst → 19 ✶
krän|ker, am kränksten – krank → 19 ✶
die **Krank|heit,** die Krankheiten ✶
der **Kranz,** die Kränze
der **Krap|fen,** die Krapfen

✶ Denke an den gemeinsamen Wortstamm. ✶

der **Kra|ter,** die Krater
krat|zen, du kratzt → 10
der **Krat|zer** – kratzen → 10
krau|len, du kraulst
kraus (krauses Haar)
das **Kraut,** die Kräuter
der **Kra|wall,** die Krawalle → 3
die **Kra|wat|te,** die Krawatten → 9
kra|xeln, du kraxelst
kre|a|tiv
der **Krebs,** die Krebse
der **Kre|dit,** die Kredite
die **Krei|de,** die Kreiden
krei|de|bleich
der **Kreis,** die Kreise
krei|schen, du kreischst
der **Krei|sel,** die Kreisel
krei|sen, du kreist
die **Krem [Kre|me]** [Creme]
das **Kreuz,** die Kreuze → 18
die **Kreu|zung** → 18
krib|beln, es kribbelt
krie|chen, du kriechst,
er kroch → 11
der **Krieg,** die Kriege → 11, 23
krie|gen, du kriegst → 11
der **Kri|mi,** die Krimis
die **Kri|mi|nal|po|li|zei**
kri|mi|nell → 3
der **Krin|gel,** die Kringel
die **Krip|pe** (das Krippenspiel) → 6
kri|tisch – die Kritik
kri|ti|sie|ren, du kritisierst → 11
krit|zeln, du kritzelst → 10
Kro|a|ti|en – kroatisch
er **kroch** – kriechen
das **Kro|ko|dil,** die Krokodile
der **Kro|kus,** die Krokusse
die **Kro|ne,** die Kronen
die **Krö|te,** die Kröten
die **Krü|cke,** die Krücken → 1
der **Krug,** die Krüge → 23
der **Krü|mel,** die Krümel
krumm → 4
sich **krüm|men,**
du krümmst dich → 4
die **Krus|te,** die Krusten
das **Kru|zi|fix,** die Kruzifixe

ku

der **Kü|bel,** die Kübel
die **Kü|che,** die Küchen
der **Ku|chen,** die Kuchen
ku|cken, du kuckst → 1
der **Ku|ckuck,** die Kuckucke → 1
die **Ku|fe,** die Kufen
die **Ku|gel,** die Kugeln
sich **ku|geln,** du kugelst dich
die **Kuh,** die Kühe
kühl ✸
küh|len, du kühlst ✸
der **Küh|ler** (die Kühlung) ✸
der **Kühl|schrank** ✸

K

✸ Denke an den gemeinsamen Wortstamm. ✸

kühn
das **Kü|ken,** die Küken
die **Ku|lis|se,** die Kulissen → 8
kul|lern, du kullerst → 3
die **Kul|tur,** die Kulturen
der **Küm|mel** → 4
der **Kum|mer** → 4
küm|mer|lich → 4
sich **küm|mern,**
du kümmerst dich → 4
der **Kum|pel,** die Kumpel
der **Kun|de,** die Kunden
die **Kün|di|gung** – kündigen
die **Kun|din,** die Kundinnen
die **Kund|schaft**
künf|tig
die **Kunst,** die Künste
der **Künst|ler,** die Künstler
die **Künst|le|rin,** die Künstlerinnen
künst|lich – der Kunststoff
kun|ter|bunt
die **Kup|pe,** die Kuppen → 6
die **Kupp|lung** – kuppeln → 6
die **Kur,** die Kuren
die **Kur|bel** – kurbeln
der **Kür|bis,** die Kürbisse
ku|ri|os
der **Kurs,** die Kurse
die **Kur|ve,** die Kurven
kur|ven, du kurvst
kurz, kürzer, am kürzesten ★
kurz|är|me|lig [kurz|ärm|lig] ★
die **Kür|ze** – kurz ★
kür|zen, du kürzt ★
kür|zer, am kürzesten – kurz ★
kürz|lich ★
kurz|sich|tig ★
die **Ku|si|ne** [Cousine], die Kusinen
der **Kuss,** die Küsse → 8
küs|sen, du küsst → 8
die **Küs|te,** die Küsten
die **Kut|sche,** die Kutschen
der **Kut|ter,** die Kutter → 9
das **Ku|vert,** die Kuverts

L

la

das **La|bor,** die Labors
das **La|by|rinth,** die Labyrinthe
lä|cheln, du lächelst → 19
das **La|chen**
la|chen, du lachst
lä|cher|lich → 19
der **Lachs,** die Lachse
der **Lack,** die Lacke → 1
la|ckie|ren, du lackierst → 1, 11
der **La|den,** die Läden
la|den, du lädst, er lud

★ Denke an den gemeinsamen Wortstamm. ★

du **lädst** – laden → 19 ★
die **La|dung,** die Ladungen
er **lag** – liegen → 23
das **La|ger** – lagern
lahm – gelähmt → 12
die **Läh|mung** – lähmen → 19 ★
der **Laib,** die Laibe (Brotlaib) → 17
der **Laich** – laichen → 17
der **Laie,** die Laien → 17
das **La|ken,** die Laken
die **Lak|rit|ze** → 10
lal|len, du lallst → 3
la|men|tie|ren, du lamentierst → 11
das **La|met|ta** → 9
das **Lamm,** die Lämmer → 4
die **Lam|pe,** die Lampen
der **Lam|pi|on,** die Lampions
das **Land,** die Länder → 22
lan|den, du landest
die **Land|schaft,** die Landschaften
die **Lan|dung** – landen
die **Land|wirt|schaft**
lang, länger, am längsten
lang|är|me|lig [lang|ärm|lig] ★
die **Län|ge** – lang → 19 ★
lan|gen, es langt
län|ger, am längsten – lang → 19 ★
die **Lan|ge|wei|le**
läng|lich – lang → 19 ★
lang|sam
längst, lang → 19 ★
sich **lang|wei|len,** du langweilst dich
lang|wei|lig
der **Lap|pen,** die Lappen → 6
läp|pisch → 19, 6
der **Lap|top,** die Laptops
die **Lär|che,** die Lärchen (der Baum)
der **Lärm** – lärmen
lär|men, du lärmst
die **Lar|ve,** die Larven
er **las** – lesen
lasch
der **La|ser** – lasern
las|sen, du lässt, er ließ → 8
läs|sig → 19, 8
das **Las|so,** die Lassos → 8
du **lässt** – lassen → 19, 8 ★
die **Last,** die Lasten
der **Last|wa|gen** (Laster)
läs|tern, du lästerst → 19
läs|tig → 19 ★
das **La|tein** – lateinisch
die **La|ter|ne,** die Laternen
lat|schen, du latschst
die **Lat|te,** die Latten → 9
der **Latz** (die Latzhose) → 10
das **Laub**
die **Lau|er** (auf der Lauer liegen)
lau|ern, du lauerst
der **Lauf,** die Läufe
lau|fen, du läufst, er lief

★ Denke an das verwandte Wort mit **a**. ★

lau|fend
der **Läu|fer** – laufen → 20
die **Läu|fe|rin,**
die Läuferinnen → 20
du **läufst** – laufen → 20
die **Lau|ne,** die Launen
lau|nisch
die **Laus,** die Läuse
der **Laus|bub,** die Lausbuben
lau|schen, du lauschst
laut
der **Laut,** die Laute
läu|ten, du läutest → 20
lau|ter (lauter Profis)
lau|warm
die **La|va**
die **La|wi|ne,** die Lawinen

le

das **Le|ben**
le|ben, du lebst
le|ben|dig
die **Le|bens|mit|tel** → 9
die **Le|ber**
leb|haft
der **Leb|ku|chen,** die Lebkuchen
das **Leck,** die Lecks → 1
le|cken, du leckst → 1
le|cker → 1
der **Le|cker|bis|sen,**
die Leckerbissen → 1, 8
das **Le|der**

L

le|dig
le|dig|lich
leer → 13
lee|ren, du leerst
(das Glas leeren) → 13
le|gen, du legst
die **Le|gen|de,** die Legenden
der **Lehm** – lehmig → 13
die **Leh|ne,** die Lehnen → 13
sich **leh|nen,** du lehnst dich → 13
die **Leh|re** – lehren → 13 ★
leh|ren, du lehrst (jemandem
etwas beibringen) → 13 ★
der **Leh|rer,** die Lehrer → 13 ★
die **Leh|re|rin,** die Lehrerinnen → 13
der **Leib,** die Leiber (Körper) → 21
die **Lei|che,** die Leichen
der **Leich|nam,** die Leichname
leicht – am leichtesten
die **Leicht|ath|le|tik**
die **Leich|tig|keit**
der **Leicht|sinn** → 5
leicht|sin|nig → 5
das **Leid**
das **Lei|den,** die Leiden
lei|den, du leidest, er litt
(Hunger leiden)
lei|dend
die **Lei|den|schaft**
lei|den|schaft|lich
lei|der (sich leider verspäten)

★ Denke an den gemeinsamen Wortstamm. ★

leid|tun, du tust mir leid
lei|ern, du leierst
lei|hen, du leihst, er lieh
der **Leim** – leimen
die **Lei|ne,** die Leinen
das **Lei|nen**
die **Lein|wand,** die Leinwände → 22
leis [lei|se]
die **Leis|te,** die Leisten
leis|ten, du leistest
die **Leis|tung** – leisten
lei|ten, du leitest
der **Lei|ter,** die Leiter (Schulleiter)
die **Lei|ter,** die Leitern
die **Lei|te|rin,** die Leiterinnen
die **Lei|tung** – leiten
die **Lek|ti|on,** die Lektionen
die **Lek|tü|re**
len|ken, du lenkst
die **Len|kung** – lenken
der **Lenz**
der **Leo|pard,** die Leoparden → 22
die **Ler|che,** die Lerchen (der Vogel)
ler|nen, du lernst
die **Le|se** (Weinlese)
le|sen, du liest, er las
der **Le|ser** – lesen
die **Le|se|rin,** die Leserinnen
le|ser|lich
Lett|land – lettisch → 22
letz|te, letzter, letztes → 10
der **Letz|te,** die Letzte, das Letzte
leuch|ten, es leuchtet → 18
der **Leuch|ter,** die Leuchter → 18
leug|nen, du leugnest → 18
die **Leu|te** → 18
das **Le|xi|kon,** die Lexika [Lexiken]

li

die **Li|bel|le,** die Libellen → 3
das **Licht,** die Lichter
lich|ter|loh
die **Lich|tung,** die Lichtungen
das **Lid,** die Lider (Augenlid) → 22
lieb → 11, 21 ★
die **Lie|be** – lieben → 11 ★
lie|ber, am liebsten – gern → 11
lieb|lich → 11 ★
der **Lieb|ling** → 11 ★
die **Lieb|lings|spei|se** → 11 ★
lieb|los → 11 ★
das **Lied,** die Lieder (Volkslied) → 11, 22
lie|der|lich → 11
er **lief** – laufen → 11
lie|fern, du lieferst → 11
die **Lie|fe|rung,** die Lieferungen → 11
die **Lie|ge,** die Liegen → 11
lie|gen, du liegst, er lag → 11
der **Lie|ge|stütz** → 11, 10
er **lieh** – leihen → 11

★ Denke an den gemeinsamen Wortstamm. ★

er **ließ** – lassen → 11, 16
du **liest** – lesen → 11
der **Lift,** die Lifte
die **Li|ga,** die Ligen
li|la
die **Li|mo|na|de,** die Limonaden
die **Lin|de,** die Linden
das **Li|ne|al,** die Lineale
die **Li|nie,** die Linien
li|niert [li|ni|iert] – lini[i]eren → 11
links
der **Links|hän|der** – linkshändig → 19
das **Li|no|le|um**
die **Lin|se** – linsen
die **Lip|pe** (Oberlippe) → 6
lis|peln, du lispelst
die **List,** die Listen
die **Lis|te,** die Listen
lis|tig ★
Li|tau|en – litauisch
der [das] **Li|ter,** die Liter
die **Li|te|ra|tur**
die **Lit|faß|säu|le**
er **litt** –leiden → 9
die **Live|sen|dung** – live senden

lo

das **Lob** – loben → 21
lo|ben, du lobst
lo|bens|wert
das **Loch,** die Löcher
lo|chen, du lochst
lö|che|rig [löch|rig] ★
lö|chern, du löcherst mich
die **Lo|cke,** die Locken → 1
lo|cken, du lockst → 1
lo|cker → 1
lo|ckern, du lockerst → 1
lo|ckig (lockige Haare) → 1 ★
der **Lo|den|man|tel,** die Lodenmäntel
lo|dern, es lodert
der **Löf|fel,** die Löffel → 2
er **log** – lügen → 23
lo|gisch – die Logik
der **Lohn,** die Löhne → 14
sich **loh|nen,** es lohnt sich → 14
die **Loi|pe,** die Loipen
das **Lo|kal,** die Lokale
die **Lo|ko|mo|ti|ve [Lok],** die Lokomotiven [Loks]
los
das **Los,** die Lose
lös|bar
das **Lösch|blatt,** die Löschblätter → 9
lö|schen, du löschst
lo|se
lo|sen, du lost
lö|sen, du löst
lös|lich
die **Lö|sung,** die Lösungen
das **Lot,** die Lote
lö|ten, er lötet

★ Wörter mit der Endung **-ig** sind meist Wiewörter (Adjektive). ★

der **Lot|se** – lotsen
die **Lot|te|rie,** die Lotterien → 9
das **Lot|to** → 9
der **Lö|we,** die Löwen

lu

der **Luchs,** die Luchse
die **Lü|cke** (Zahnlücke) → 1
lü|cken|haft → 1
lü|cken|los → 1
er **lud** – laden → 22
das **Lu|der,** die Luder
die **Luft,** die Lüfte ✱
lüf|ten, du lüftest ✱
luf|tig ✱
die **Lüf|tung** – lüften ✱
die **Lü|ge** (Notlüge)
lü|gen, du lügst, er log
der **Lüg|ner** – lügen
die **Lüg|ne|rin,** die Lügnerinnen
die **Lu|ke,** die Luken
der **Lüm|mel,** die Lümmel → 4
sich **lüm|meln,** du lümmelst dich → 4
der **Lump,** die Lumpen
der **Lum|pen,** die Lumpen
lum|pig
die **Lun|ge,** die Lungen
die **Lu|pe,** die Lupen
die **Lust**
lus|tig
lut|schen, du lutschst
Lu|xem|burg – luxemburgisch
lu|xu|ri|ös
der **Lu|xus**

M

ma

ma|chen, du machst
die **Macht,** die Mächte
mäch|tig – die Macht → 19
die **Ma|cke,** die Macken → 1
das **Mäd|chen,** die Mädchen
die **Ma|de,** die Maden
ma|dig (madig machen)
die **Ma|don|na,** die Madonnen → 5
der **Ma|gen,** die Mägen [Magen]
ma|ger
der **Mag|net,** die Magnete
mag|ne|tisch
du **magst** – mögen
der **Mäh|dre|scher,** die Mähdrescher
mä|hen, du mähst
das **Mahl** (Festmahl) → 12
mah|len, du mahlst (Kaffee mahlen) → 12
die **Mahl|zeit,** die Mahlzeiten → 12
die **Mäh|ne,** die Mähnen

L M

✱ Denke an den gemeinsamen Wortstamm. ✱

mah|nen, du mahnst → 12
die **Mah|nung** – mahnen → 12
der **Mai** → 17
die **Mail|box**
der **Main**
der **Mais** → 17
die **Ma|jes|tät,** die Majestäten
die **Ma|jo|nä|se** [Mayonnaise]
das **Make-up**
die **Mak|ka|ro|ni**
das **Mal** (Muttermal, zum ersten Mal)
mal (zweimal, 2-mal)
ma|len, du malst (ein Bild malen)
der **Ma|ler** – malen
die **Ma|le|rei**
die **Ma|le|rin,** die Malerinnen
Mal|ta – maltesisch
das **Malz|bier** → 11
die **Ma|ma**
man
der **Ma|na|ger,** die Manager
die **Ma|na|ge|rin**
man|che, mancher, manches
manch|mal
die **Man|da|ri|ne,** die Mandarinen ✶
die **Man|del,** die Mandeln
die **Ma|ne|ge,** die Manegen
der **Man|gel,** die Mängel
man|gel|haft

die **Ma|nie|ren** → 11
der **Mann,** die Männer → 5
männ|lich – der Mann → 19, 5
die **Mann|schaft,** die Mannschaften → 5
der **Man|tel,** die Mäntel
die **Map|pe,** die Mappen → 6
das **Mär|chen,** die Märchen
die **Mar|ga|ri|ne** ✶
die **Ma|ri|o|net|te,** die Marionetten → 9
die **Mar|ke,** die Marken
mar|kie|ren, du markierst → 11
der **Markt,** die Märkte
die **Mar|me|la|de**
der **Mar|mor**
der **Mars**
der **Marsch,** die Märsche
mar|schie|ren, du marschierst → 11
das **Mar|tins|horn**
der **März**
das [der] **Mar|zi|pan**
die **Ma|sche,** die Maschen
die **Ma|schi|ne,** die Maschinen ✶
ma|schi|nell → 3
die **Ma|sern**
die **Mas|ke** – maskieren
sich **mas|kie|ren,** du maskierst dich → 11
das **Mas|kott|chen** → 9

✶ Wörter mit der Endung **-ine** werden ohne Dehnungszeichen geschrieben. ✶

das **Maß,** die Maße → 16
er **maß** – messen → 16
die **Mas|sa|ge,** die Massagen → 8
die **Mas|se,** die Massen → 8
mas|sie|ren, du massierst → 8, 11
mä|ßig → 16
mas|siv → 8
der **Maß|stab,** die Maßstäbe → 16
der **Mast,** die Masten (Fahnenmast)
die **Mast** (Schweinemast)
mäs|ten, du mästest → 19
das **Match** (Spiel)
das **Ma|te|ri|al,** die Materialien
die **Ma|the|ma|tik**
die **Mat|rat|ze,** die Matratzen → 10
der **Mat|ro|se,** die Matrosen
der **Matsch** (Schneematsch)
mat|schig
matt – am mattesten → 9
die **Mat|te,** die Matten → 9
die **Mau|er** – mauern
das **Maul** – maulen
der **Maul|wurf,** die Maulwürfe
der **Mau|rer,** die Maurer
die **Maus,** die Mäuse
die **Ma|yon|nai|se** [Majonäse]

me

der **Me|cha|ni|ker,** die Mechaniker
die **Me|cha|ni|ke|rin** – mechanisch
me|ckern, du meckerst → 1
Meck|len|burg-Vor|pom|mern – mecklenburg-vorpommerisch
die **Me|dail|le,** die Medaillen
die **Me|di|en**
das **Me|di|ka|ment,** die Medikamente
die **Me|di|zin**
das **Meer,** die Meere → 13
der **Meer|ret|tich** → 13, 9
das **Mehl** → 13
mehr, am meisten – viel → 13 ★
meh|re|re → 13 ★
mehr|mals, mehrfach → 13 ★
die **Mehr|zahl** → 13, 12 ★
mei|den, du meidest, er mied
mein, meine, meiner, meines
mei|nen, du meinst
mei|net|we|gen
die **Mei|nung** – meinen
die **Mei|se,** die Meisen
der **Mei|ßel** – meißeln → 16
meist, meistens
am **meis|ten** – viel
der **Meis|ter,** die Meister
die **Meis|te|rin,** die Meisterinnen
die **Meis|ter|schaft**
mel|den, du meldest
die **Mel|dung** – melden
mel|ken, du melkst, er molk
die **Me|lo|die,** die Melodien
die **Me|lo|ne,** die Melonen
das **Me|mo|ry,** die Memorys

M

★ Beachte den gleichen Wortstamm. ★

die **Men|ge,** die Mengen
der **Mensch** – menschlich
das **Me|nü,** die Menüs
mer|ken, du merkst ★
das **Merk|mal,** die Merkmale ★
merk|wür|dig ★
die **Mes|se,** die Messen → 8
mes|sen, du misst, er maß → 8
das **Mes|ser,** die Messer → 8
das **Mess|ge|rät,** die Messgeräte
das **Mes|sing** → 8
das **Me|tall,** die Metalle → 3
der **Me|te|or,** die Meteore
der **Me|ter,** die Meter
die **Me|tho|de,** die Methoden
der **Metz|ger,** die Metzger → 10
die **Metz|ge|rei** → 10
die **Meu|te|rei** – meutern → 18

mi

mi|au|en, sie miaut
mich
die **Mi|cky|maus**
er **mied** – meiden → 11
die **Mie|ne** (mit ernster Miene) → 11
mies – am miesesten → 11
die **Mie|te,** die Mieten (eine Wohnung mieten) → 11
mie|ten, du mietest → 11
das **Mik|ro|fon** [Mikrophon], die Mikrofone
das **Mik|ros|kop,** die Mikroskope
die **Mik|ro|wel|le** → 3
die **Milch** – milchig
mild → 22
das **Mi|li|tär** – militärisch
die **Mil|li|ar|de,** die Milliarden
der **Mil|li|me|ter,** die Millimeter
die **Mil|li|on,** die Millionen
der **Mil|li|o|när,** die Millionäre
die **Mil|li|o|nä|rin**
min|des|tens
die **Mi|ne** (Bleistiftmine)
das **Mi|ne|ral|was|ser** → 8
Mi|ni|golf
der **Mi|nis|ter,** die Minister
die **Mi|nis|te|rin**
der **Mi|nist|rant,** die Ministranten
die **Mi|nist|ran|tin**
mi|nus
die **Mi|nu|te,** die Minuten
mir
mi|schen, du mischst
mi|se|ra|bel
miss|ach|ten, du missachtest → 8
der **Miss|brauch** – missbrauchen → 8
der **Miss|er|folg** → 8, 23
miss|han|deln, du misshandelst → 8
die **Mis|si|on** → 8
der **Mis|si|o|nar,** die Missionare → 8

M

★ Denke an den gemeinsamen Wortstamm. ★

die **Mis|si|o|na|rin** → 8
du **misst** – messen → 8
das **Miss|trau|en** – misstrauen → 8
miss|trau|en, du misstraust → 8
miss|trau|isch → 8
miss|ver|stan|den – missverstehen → 8
das **Miss|ver|ständ|nis** → 8, 19
der **Mist** (Pferdemist)
mit ✸
mit|ei|nan|der
das **Mit|glied,** die Mitglieder → 11
der **Mit|laut,** die Mitlaute
das **Mit|leid** → 22
mit|lei|dig
der **Mit|tag,** am Mittag → 9
mit|tags → 9
die **Mit|te** – mittendrin → 9
mit|tei|len, du teilst mit
die **Mit|tei|lung,** die Mitteilungen
das **Mit|tel,** die Mittel → 9
das **Mit|tel|meer** → 9, 13
mit|ten → 9
die **Mit|ter|nacht** → 9
mitt|ler|wei|le → 9
der **Mitt|woch,** am Mittwoch → 9
mitt|wochs → 9
mi|xen, du mixt
der **Mi|xer** – mixen

mo

die **Mö|bel**
er **moch|te** – mögen
die **Mo|de,** die Moden
das **Mo|dell,** die Modelle → 3
mo|dern
das **Mo|fa,** die Mofas
mo|geln, du mogelst
mö|gen, du magst, er mochte
mög|lich
die **Mög|lich|keit,** die Möglichkeiten
mög|lichst
Mo|ham|med
der **Mohn** → 14
die **Möh|re,** die Möhren
die **Mohr|rü|be,** die Mohrrüben → 14
der **Molch,** die Molche
er **molk** – melken
die **Mol|ke|rei,** die Molkereien
mol|lig → 3
der **Mo|ment,** die Momente
mo|men|tan
der **Mo|nat,** die Monate
der **Mönch,** die Mönche
der **Mond,** die Monde → 22
die **Mo|ne|ten**
das **Mons|ter,** die Monster
der **Mon|tag,** am Montag
die **Mon|ta|ge** – montieren
mon|tags
der **Mon|teur,** die Monteure
mon|tie|ren, du montierst → 11

✸ Es gibt viele Zusammensetzungen mit dem Wortbaustein **mit-**. ✸

das **Moor,** die Moore (die Moorlandschaft) → 14
das **Moos,** die Moose → 14
das **Mo|ped,** die Mopeds
der **Mops,** die Möpse
die **Mo|ral** – moralisch
der **Mo|rast** – morastig
der **Mord,** die Morde → 22
mor|den, er mordet
der **Mör|der** – morden
die **Mör|de|rin**
der **Mor|gen,** am Morgen
mor|gen, morgen Abend
das **Mor|gen|grau|en**
mor|gens
morsch
der **Mör|tel**
das **Mo|sa|ik,** die Mosaiken
die **Mo|schee,** die Moscheen
die **Mo|sel**
der **Most**
das **Mo|tiv,** die Motive
der **Mo|tor,** die Motoren
die **Mot|te,** die Motten → 9
mot|zen, du motzt → 10
das **Moun|tain|bike**
die **Mö|we,** die Möwen

mu

die **Mü|cke,** die Mücken → 1
mucks|mäus|chen|still → 1, 20, 3
mü|de
die **Mü|dig|keit** ✶
die **Mü|he,** die Mühen
die **Müh|le,** die Mühlen
müh|sam
die **Mul|de,** die Mulden
der **Müll** → 3
die **Müll|ab|fuhr** → 3, 15
die **Mull|bin|de,** die Mullbinden → 3
die **Müll|de|po|nie,** die Mülldeponien → 3, 11
die **Mul|ti|pli|ka|ti|on**
mul|ti|pli|zie|ren, du multiplizierst → 11
der **Mund,** die Münder → 22
mün|den, er mündet
die **Mund|har|mo|ni|ka**
münd|lich
die **Mün|dung** – münden ✶
die **Mu|ni|ti|on**
mun|keln, du munkelst
mun|ter
die **Mün|ze,** die Münzen
mürb [mür|be]
die **Mur|mel,** die Murmeln
mur|meln, du murmelst
das **Mur|mel|tier,** die Murmeltiere → 11
mur|ren, du murrst → 7
mür|risch → 7
das **Mus** (Apfelmus)
die **Mu|schel,** die Muscheln

✶ **-ung** und **-keit** sind Wortbausteine für Namenwörter (Nomen). ✶

M

das **Mu|se|um,** die Museen
das **Mu|si|cal,** die Musicals
die **Mu|sik** – musikalisch
der **Mu|si|ker,** die Musiker
die **Mu|si|ke|rin,** die Musikerinnen
mu|si|zie|ren, du musizierst → 11
der **Mus|kel,** die Muskeln
das **Müs|li**
der **Mus|lim,** die Muslime
die **Mus|li|min,** die Musliminnen
müs|sen, du musst, er musste → 8
du **musst,** er musste – müssen
das **Mus|ter,** die Muster
der **Mut** – mutig
die **Mut|ter,** die Mütter → 9
mut|wil|lig → 3
die **Müt|ze,** die Mützen → 10

N

na

die **Na|be,** die Naben (Radnabe)
der **Na|bel** (Bauchnabel)
nach
nach|ah|men, du ahmst nach → 12
der **Nach|bar,** die Nachbarn
die **Nach|ba|rin,** die Nachbarinnen
die **Nach|bar|schaft**
nach|dem
nach|ei|nan|der ✶
nach|gie|big → 11
nach|hau|se [nach Hause]
nach|her
nach|läs|sig → 19, 8
der **Nach|mit|tag,** die Nachmittage → 9
nach|mit|tags → 9
die **Nach|richt,** die Nachrichten
nächs|te Woche
am **nächs|ten** – nah
die **Nacht,** die Nächte
der **Nach|teil,** die Nachteile
nach|träg|lich → 19
nachts
nackt → 1
die **Na|del,** die Nadeln
der **Na|gel,** die Nägel
na|geln, du nagelst
na|gen, du nagst
nah [na|he], näher, am nächsten
die **Nä|he** → 19
nä|hen, du nähst → 19
nä|her, am nächsten – nah → 19
er **nahm** – nehmen → 12
die **Nah|rung** – nahrhaft → 12
das **Nah|rungs|mit|tel,** die Nahrungsmittel → 12, 9

✶ Auch so kannst du trennen: **nach-ein-an-der**. ✶

die **Naht,** die Nähte → 12
na|iv
der **Na|me,** die Namen
das **Na|men|wort,** die Namenwörter
näm|lich
er **nann|te** – nennen → 5
der **Napf,** die Näpfe
die **Nar|be,** die Narben
die **Nar|ko|se**
der **Narr** – närrisch → 7
die **Nar|zis|se** → 8
na|schen, du naschst
die **Na|se,** die Nasen
nass → 8
die **Näs|se** – nass → 19, 8
die **Na|ti|on,** die Nationen
die **Na|tur,** die Naturen
na|tür|lich

N

ne

der **Ne|bel,** die Nebel
ne|be|lig [neb|lig]
ne|ben, nebeneinander
der **Ne|ckar**
ne|cken, du neckst → 1
der **Nef|fe,** die Neffen → 2
ne|ga|tiv
neh|men, du nimmst, er nahm → 13
der **Neid** → 22
nei|disch ✶
sich **nei|gen,** du neigst dich
nein
die **Nel|ke,** die Nelken
nen|nen, du nennst, er nannte → 5
das **Ne|on|licht**
der **Nerv,** die Nerven
ner|vös
das **Nest,** die Nester
nett → 9
das **Netz,** die Netze → 10
neu → 18
die **Neu|gier[de]** – neugierig → 18, 11
die **Neu|ig|keit**
das **Neu|jahr**
neu|lich → 18
neun, neunmal → 18
neun|zehn → 18, 13
neun|zig → 18

ni

nicht
die **Nich|te,** die Nichten
nichts, gar nichts
ni|cken, du nickst → 1
nie → 11
nie|der → 11
die **Nie|der|lan|de** – niederländisch
Nie|der|sach|sen – niedersächsisch
der **Nie|der|schlag,** die Niederschläge → 11

✶ Wörter mit der Endung **-isch** sind meist Wiewörter (Adjektive). ✶

nied|lich → 11
nied|rig → 11
nie|mals → 11
nie|mand → 11
die **Nie|re,** die Nieren → 11
nie|seln, es nieselt → 11
nie|sen, du niest → 11
die **Nie|te,** die Nieten → 11
der **Ni|ko|laus**
das **Nil|pferd,** die Nilpferde → 22
du **nimmst** – nehmen → 4
nip|pen, du nippst → 6
nir|gends
die **Ni|sche**
nis|ten, er nistet
die **Ni|xe,** die Nixen

no

noch
noch|mals
das **No|men,** die Nomen
der **No|mi|na|tiv**
die **Non|ne,** die Nonnen → 5
der **Non|sens** (Nonsens reden)
non|stop
der **Nor|den** (die Nordsee)
nörd|lich
Nord|rhein-West|fa|len – nordrhein-westfälisch
nör|geln, du nörgelst
nor|mal
Nor|we|gen – norwegisch
die **Not,** die Nöte
die **No|te,** die Noten
nö|tig
die **No|tiz** – notieren
not|wen|dig
der **No|vem|ber**

nu

im **Nu**
nüch|tern
die **Nu|del,** die Nudeln
null → 3
die **Num|mer,** die Nummern → 4
num|me|rie|ren, du nummerierst → 4, 11
nun
nur
die **Nuss,** die Nüsse → 8
nut|zen, du nutzt → 10 ✶
nüt|zen, du nützt → 10 ✶
nütz|lich → 10 ✶

O

o

die **Oa|se,** die Oasen
ob
oben
der **Ober,** die Ober

✶ Beachte den gemeinsamen Wortstamm. ✶

die **Ober|flä|che** → 19
ober|fläch|lich → 19
das **Ob|jekt,** die Objekte
die **Ob|la|te,** die Oblaten
das **Obst**
ob|wohl → 14
der **Och|se,** die Ochsen
ocker → 1
öde
oder
die **Oder**
der **Ofen,** die Öfen
of|fen – die Offenheit → 2 ★
die **Öf|fent|lich|keit** – öffentlich ★
of|fi|zi|ell → 2, 3
öff|nen, du öffnest → 2 ★
die **Öff|nung** – offen → 2 ★
oft, öfter, am öftesten
öf|ter, am öftesten – oft
oft|mals
oh|ne → 14
die **Ohn|macht** – ohnmächtig → 14
das **Ohr,** die Ohren → 14
die **Ohr|fei|ge,** die Ohrfeigen → 14
okay [o. k.]
der **Ok|to|ber**
das **Öl,** die Öle
ölen, du ölst
die **Oli|ve,** die Oliven
die **Olym|pi|a|de,** die Olympiaden

die **Olym|pi|schen Spie|le**
die **Oma,** die Omas
das **Ome|lett,** die Omeletts → 9
der **Om|ni|bus,** die Omnibusse
der **On|kel,** die Onkel
on|line (Online-Dienste)
der **Opa,** die Opas
das **Open|air|kon|zert** [Open-Air-Konzert]
die **Oper,** die Opern
die **Ope|ra|ti|on,** die Operationen
ope|rie|ren, er operiert → 11
das **Op|fer,** die Opfer
op|fern, du opferst
op|ti|mal
op|ti|mis|tisch – der Optimist
die **Oran|ge,** die Orangen
oran|ge
das **Or|ches|ter,** die Orchester
or|dent|lich
ord|nen, du ordnest
der **Ord|ner** – ordnen
die **Ord|nung** – ordnen
das **Or|gan,** die Organe
die **Or|ga|ni|sa|ti|on,** die Organisationen
or|ga|ni|sie|ren, du organisierst → 1
die **Or|gel,** die Orgeln
der **Ori|ent** – orientalisch
sich **ori|en|tie|ren,** du orientierst dich → 11

★ Denke an den gemeinsamen Wortstamm. ★

die **Ori|en|tie|rung** → 11 *
das **Ori|gi|nal,** die Originale
ori|gi|nell → 3
der **Or|kan,** die Orkane
der **Ort,** die Orte
die **Ort|schaft,** die Ortschaften *
der **Os|ten** (die Ostsee)
Os|tern
Ös|ter|reich – österreichisch
öst|lich
oval
der **Over|all,** die Overalls → 3
der **Oze|an,** die Ozeane
das **Ozon**

P

pa

das **Paar,** die Paare → 12
ein **paar** (einige) → 12
ein **paar|mal** → 12
pach|ten, du pachtest
das **Päck|chen** – packen → 19, 1
pa|cken, du packst
(ein Paket packen) → 1
die **Pa|ckung,** die Packungen → 1 *
das **Pad|del,** die Paddel
pad|deln, du paddelst
das **Pa|ket,** die Pakete
der **Pa|last,** die Paläste
die **Pal|me,** die Palmen
die **Pam|pel|mu|se,**
die Pampelmusen
die **Pa|nik**
die **Pan|ne,** die Pannen → 5
der **Pan|ther** [Panter], die Pant[h]er
der **Pan|tof|fel,** die Pantoffeln → 2
die **Pan|to|mi|me** – pantomimisch
der **Pan|zer,** die Panzer
der **Pa|pa**
der **Pa|pa|gei,** die Papageien
das **Pa|pier,** die Papiere → 11
die **Pap|pe,** die Pappen → 6
die **Pap|pel,** die Pappeln → 6
der **Pap|ri|ka,** die Paprikas
der **Papst,** die Päpste
das **Pa|ra|dies,** die Paradiese → 11
pa|ral|lel → 3
die **Pa|ral|le|le,** die Parallelen
der **Pa|ra|sit,** die Parasiten
das **Pär|chen** – das Paar → 19
das **Par|fum [Par|füm],** die Parfums
[Parfüme, Parfüms]
pa|rie|ren, du parierst → 11
der **Park,** die Parks
par|ken, du parkst
das **Par|kett**
(der Parkettboden) → 9
der **Park|platz,** die Parkplätze → 10

O
P

* **-schaft** und **-ung** sind Wortbausteine für Namenwörter (Nomen). *

das **Par|la|ment,** die Parlamente
die **Par|tei,** die Parteien
das **Par|ter|re** → 7
der **Part|ner,** die Partner
die **Part|ne|rin,** die Partnerinnen
die **Par|ty,** die Partys
der **Pass,** die Pässe (Reisepass) → 8
der **Pas|sa|gier,** die Passagiere → 8
pas|sen, es passt → 8
pas|sie|ren, es passiert → 8, 11
pas|siv → 8
es **pass|te** – passen → 8
die **Pas|te|te,** die Pasteten
der **Pas|tor,** die Pastoren
die **Pas|to|rin,** die Pastorinnen
der **Pa|te,** die Paten
der **Pa|ter,** die Patres
der **Pa|ti|ent,** die Patienten
die **Pa|ti|en|tin,** die Patientinnen
die **Pa|tin,** die Patinnen
die **Pat|ro|ne,** die Patronen
die **Pau|ke,** die Pauken
die **Pau|se,** die Pausen
der **Pa|zi|fik**
der **PC,** die PCs (**P**ersonal**c**omputer)

pe

das **Pech**
das **Pe|dal,** die Pedale
pein|lich
die **Peit|sche,** die Peitschen
die **Pel|le,** die Pellen → 3
pel|len, du pellst (Kartoffeln pellen) → 3
der **Pelz** – pelzig
pen|deln, du pendelst
der **Pend|ler,** die Pendler
der **Pe|nis**
die **Pen|si|on,** die Pensionen
das **Per|fekt**
per|fekt
die **Pe|ri|o|de,** die Perioden
die **Per|le,** die Perlen
die **Per|son,** die Personen
per|sön|lich
die **Pe|rü|cke,** die Perücken → 1
pes|si|mis|tisch – der Pessimist → 8
die **Pe|ter|si|lie**
das **Pet|ro|le|um**
pet|zen, du petzt → 10

pf

der **Pfad,** die Pfade → 22 ✶
der **Pfahl,** die Pfähle → 12
das **Pfand,** die Pfänder → 22 ✶
die **Pfan|ne,** die Pfannen → 5
der **Pfar|rer,** die Pfarrer → 7
die **Pfar|re|rin,** die Pfarrerinnen → 7
der **Pfau,** die Pfauen
der **Pfef|fer** – pfeffern → 2
die **Pfef|fer|min|ze** → 2
pfef|fern, du pfefferst → 2

P

✶ Beim verlängerten Wort hörst du das **d** deutlich. ✶

die **Pfei|fe** – pfeifen
pfei|fen, du pfeifst, er pfiff
der **Pfeil,** die Pfeile
der **Pfei|ler,** die Pfeiler
das **Pferd,** die Pferde → 22
der **Pfiff** – pfeifen → 2
er **pfiff** – pfeifen → 2
der **Pfif|fer|ling,** die Pfifferlinge → 2
pfif|fig → 2
Pfingst|ten
der **Pfir|sich,** die Pfirsiche
die **Pflan|ze** – pflanzen
pflan|zen, du pflanzt
das **Pflas|ter** – pflastern
die **Pflau|me,** die Pflaumen
die **Pfle|ge**
pfle|gen, du pflegst
die **Pflicht** – verpflichten
pflü|cken, du pflückst
(Äpfel pflücken) → 1
der **Pflug,** die Pflüge
pflü|gen, du pflügst
(den Acker pflügen)
die **Pfor|te,** die Pforten
der **Pfört|ner,** die Pförtner
der **Pfos|ten,** die Pfosten
die **Pfo|te,** die Pfoten
der **Pfrop|fen,** die Pfropfen
pfui
das **Pfund,** die Pfunde → 22
pfu|schen, du pfuschst

die **Pfüt|ze,** die Pfützen → 10

ph

die **Phan|ta|sie** [Fantasie]
phan|tas|tisch [fantastisch]
das **Phan|tom,** die Phantome
die **Pho|to|gra|phie** [Fotografie]
die **Phy|sik** – physikalisch

pi

der **Pi|ckel,** die Pickel → 1
pi|cken, du pickst → 1
das **Pick|nick** → 1
pie|pen, es piept → 11
piep|sen, es piepst → 11
pier|cen, du bist gepierct → 11
pi|kant
die **Pil|le,** die Pillen → 3
der **Pi|lot,** die Piloten
die **Pi|lo|tin,** die Pilotinnen
der **Pilz,** die Pilze
der **Pin|gu|in,** die Pinguine
pink
die **Pinn|wand** → 5
der **Pin|sel,** die Pinsel
pin|seln, du pinselst
die **Pin|zet|te,** die Pinzetten → 9
der **Pi|rat,** die Piraten
pir|schen, du pirschst
die **Pis|te,** die Pisten
die **Pis|to|le,** die Pistolen
die **Piz|za,** die Pizzas [Pizzen]
die **Piz|ze|ria,** die Pizzerien

Nach Mitlauten steht nur **z**, nie **tz**.

pl

pla|gen, du plagst
das **Pla|kat,** die Plakate
die **Pla|ket|te,** die Plaketten → 9
der **Plan,** die Pläne
die **Pla|ne,** die Planen
pla|nen, du planst
der **Pla|net,** die Planeten
plan[t]|schen, du plan[t]schst
plap|pern, du plapperst → 6
plär|ren, du plärrst → 7
das **Plas|tik**
das **Plas|ti|lin**
plät|schern, es plätschert
das **Platt** (Platt sprechen)
platt (ein platter Reifen) → 9
die **Plat|te,** die Platten → 9
der **Platz,** die Plätze → 10
das **Plätz|chen,** die Plätzchen → 10
plat|zen, es platzt → 10
plau|dern, du plauderst
das **Play-back** [Playback]
plei|te sein
die **Plom|be,** die Plomben
plom|bie|ren, er plombiert → 11 ✶
plötz|lich → 10
plump
plump|sen, du plumpst
der **Plun|der**
plün|dern, du plünderst
der **Plu|ral**
plus

po

der **Po** [Popo]
po|chen, du pochst
die **Po|cken|schutz|imp|fung** → 1, 10
das **Po|di|um,** die Podien
das **Po|e|sie|al|bum,** die Poesiealben
der **Po|kal,** die Pokale
der **Pol,** die Pole (Nordpol)
Po|len – polnisch
po|lie|ren, du polierst → 11 ✶
die **Po|li|tes|se,** die Politessen → 8
die **Po|li|tik** – politisch
der **Po|li|ti|ker,** die Politiker
die **Po|li|ti|ke|rin**
die **Po|li|zei**
der **Po|li|zist,** die Polizisten
die **Po|li|zis|tin,** die Polizistinnen
der **Pol|len,** die Pollen → 3
das **Pols|ter,** die Polster
pols|tern, du polsterst
pol|tern, du polterst
die **Pommes frites**
das **Po|ny,** die Ponys
der **Pool** (Swimmingpool)
die **Pop|mu|sik**
die **Po|re,** die Poren
die **Por|ti|on,** die Portionen
das **Port|mo|nee** [Portemonnaie]
das **Por|to,** die Portos [Porti]
Por|tu|gal – portugiesisch

✶ Wörter mit der Endung **-ieren** sind meist Tunwörter (Verben). ✶

das **Por|zel|lan**
die **Po|sau|ne,** die Posaunen
po|si|tiv
die **Post**
das **Pos|ter,** die Poster

pr

die **Pracht** – prächtig
das **Prä|di|kat**
prä|gen, du prägst
prah|len, du prahlst → 12
prak|tisch
die **Pra|li|ne,** die Pralinen
prall → 3
die **Prä|mie,** die Prämien
die **Pran|ke,** die Pranken
die **Prä|rie,** die Prärien
das **Prä|sens**
der **Prä|si|dent,** die Präsidenten
die **Prä|si|den|tin**
pras|seln, es prasselt → 8
das **Prä|te|ri|tum**
die **Pra|xis,** die Praxen
pre|di|gen, du predigst
die **Pre|digt,** die Predigten
der **Preis,** die Preise
das **Preis|aus|schrei|ben**
preis|wert
prel|len, du prellst → 3
die **Prel|lung,** die Prellungen → 3
die **Pres|se** → 8
pres|sen, du presst → 8
pres|sie|ren, es pressiert → 8, 11
der **Pries|ter,** die Priester → 11
pri|ma
pri|mi|tiv
der **Prinz,** die Prinzen
die **Prin|zes|sin** → 8
die **Pri|se** (eine Prise Salz)
pri|vat
die **Pro|be,** die Proben
pro|ben, du probst
pro|bie|ren, du probierst → 11
das **Prob|lem,** die Probleme ✱
das **Pro|dukt** – produzieren
der **Pro|fes|sor,** die Professoren → 8
die **Pro|fes|so|rin** → 8
der **Pro|fi,** die Profis
das **Pro|gramm,** die Programme → 4
das **Pro|jekt,** die Projekte
der **Pro|jek|tor** (Overhead-Projektor)
pro|mi|nent
prompt
das **Pro|no|men,** die Pronomen
der **Pro|pel|ler,** die Propeller → 3
der **Pro|phet,** die Propheten
Pro|sit [Prost]
der **Pros|pekt,** die Prospekte
der **Pro|test,** die Proteste
pro|tes|tan|tisch – die Protestanten
pro|tes|tie|ren, du protestierst → 11

✱ Du kannst auch so trennen: **Pro-blem**. ✱

die **Pro|the|se,** die Prothesen
das **Pro|to|koll** – protokollieren → 3
der **Pro|vi|ant**
das **Pro|zent,** die Prozente
der **Pro|zess,** die Prozesse → 8
die **Pro|zes|si|on,** die Prozessionen
prü|fen, du prüfst
die **Prü|fung,** die Prüfungen
die **Prü|ge|lei,** die Prügeleien
prü|geln, du prügelst

pu

die **Pu|ber|tät**
das **Pub|li|kum**
der **Pud|ding,** die Puddinge [Puddings]
der **Pu|del,** die Pudel
der **Pu|der,** die Puder
pu|dern, du puderst
der **Puf|fer,** die Puffer → 2
der **Pul|li,** die Pullis → 3
der **Pul|lo|ver,** die Pullover → 3
der **Puls**
das **Pult,** die Pulte
das **Pul|ver,** die Pulver
die **Pum|pe,** die Pumpen
pum|pen, du pumpst
der **Punkt,** die Punkte
pünkt|lich
die **Pu|pil|le,** die Pupillen → 3
die **Pup|pe,** die Puppen → 6
pur
pur|zeln, du purzelst
die **Pus|te** – pusten
pus|ten, du pustest
put|zen, du putzt → 10
put|zig → 10
puz|zeln, du puzzelst
das **Puz|zle,** die Puzzles

py

der **Py|ja|ma,** die Pyjamas
die **Py|ra|mi|de,** die Pyramiden

Qu

qu ✶

der **Qua|der,** die Quader
das **Quad|rat,** die Quadrate
quad|ra|tisch
der **Quai** [Kai], die Quais [Kais] → 17
qua|ken, du quakst
die **Qual,** die Qualen
quä|len, du quälst → 19
die **Qua|li|tät,** die Qualitäten
die **Qual|le,** die Quallen → 3
der **Qualm** – qualmen
qual|men, es qualmt
der **Quark**
das **Quar|tett,** die Quartette → 9

P
Q

✶ **kw** am Wortanfang wird **Qu** oder **qu** geschrieben. ✶

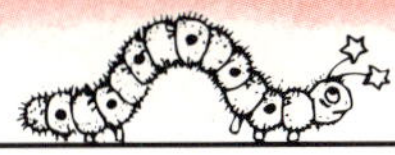

das **Quar|tier,** die Quartiere → 11
quas|seln, du quasselst → 8
der **Quatsch** – quatschen
quat|schen, du quatschst
das **Queck|sil|ber** → 1
die **Quel|le** – quellen → 3
quel|len, es quillt, es quoll
quen|geln, du quengelst
quer
quer|feld|ein
der **Quer|schnitt,** die Querschnitte → 9
quet|schen, du quetschst
die **Quet|schung** – quetschen
quick|le|ben|dig → 1
quie|ken, du quiekst → 11
quiet|schen, du quietschst → 11
quietsch|ver|gnügt → 11
es **quillt** – quellen → 3
der **Quirl** – quirlen
quir|len – du quirlst
quir|lig
quitt → 9
quit|tie|ren, du quittierst → 9, 11
die **Quit|tung,** die Quittungen → 9
das **Quiz** (die Quizfrage)
es **quoll** – quellen → 3
die **Quo|te** (Anteil, Menge)
der **Quo|ti|ent,** die Quotienten

R

ra

der **Ra|batt** → 9
der **Ra|be,** die Raben
die **Ra|che** – rächen
der **Ra|chen,** die Rachen
sich **rä|chen,** du rächst dich → 19
das **Rad,** die Räder → 22 ✶
der [das] **Ra|dar**
der **Ra|dau**
der **Rad|fah|rer** – Rad fahren → 12
die **Rad|fah|re|rin** → 12
ra|die|ren, du radierst → 11
der **Ra|dier|gum|mi** → 11, 4
das **Ra|dies|chen,** die Radieschen → 11
ra|di|kal
das **Ra|dio,** die Radios
raf|fen, er rafft → 2
raf|fi|niert
der **Rahm** → 12
der **Rah|men,** die Rahmen → 12
die **Ra|ke|te,** die Raketen
die **Ral|lye,** die Rallyes → 3
der **Ra|ma|dan**
ram|men, du rammst → 4
die **Ram|pe,** die Rampen
der **Rand,** die Ränder → 22 ✶

Q
R

✶ Beim verlängerten Wort hörst du das **d** deutlich. ✶

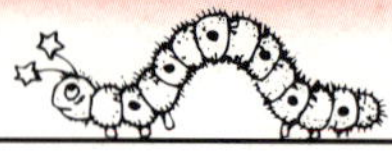

der **Rang,** die Ränge
er **rang** – ringen
ran|gie|ren, du rangierst → 11
es **rann** – rinnen → 5
er **rann|te** – rennen → 5
der **Ran|zen,** die Ranzen
ran|zig
der **Rap** (Rapper)
der **Rap|pe,** die Rappen → 6
der **Raps**
rar
ra|sant
rasch
ra|scheln, es raschelt
der **Ra|sen** (Rasenmäher)
ra|sen, du rast
sich **ra|sie|ren,** du rasierst dich → 11
die **Ras|se,** die Rassen → 8
die **Ras|sel,** die Rasseln → 8
ras|seln, du rasselst → 8
die **Rast** – rasten
ras|ten, du rastest
die **Rast|stät|te,** die Raststätten → 9
der **Rat** – raten
die **Ra|te** (Ratenzahlung)
ra|ten, du rätst, er riet
das **Rät|sel,** die Rätsel → 19 ✶
du **rätst** – raten → 19 ✶
die **Rat|te,** die Ratten → 9
rat|tern, es rattert → 9

rau
der **Raub** – rauben → 21
rau|ben, er raubt
der **Räu|ber** – rauben → 20
der **Rauch** – rauchen
rau|chen, du rauchst
räu|chern, du räucherst → 20
rau|fen, du raufst
die **Rau|fe|rei,** die Raufereien
der **Raum,** die Räume
räu|men, du räumst → 20
die **Rau|pe,** die Raupen
der **Rau|reif**
raus
der **Rausch**
rau|schen, es rauscht
sich **räus|pern,** du räusperst dich
die **Raz|zia,** die Razzien

re

re|agie|ren, du reagierst → 11
die **Re|ak|ti|on,** die Reaktionen
die **Re|al|schu|le**
die **Re|be,** die Reben
der **Re|chen,** die Rechen
re|chen, du rechst (Laub rechen)
rech|nen, du rechnest
der **Rech|ner,** die Rechner
die **Rech|nung** – rechnen
das **Recht,** die Rechte (Recht haben) [recht haben]

R

✶ Denke an das verwandte Wort mit **a**. ✶

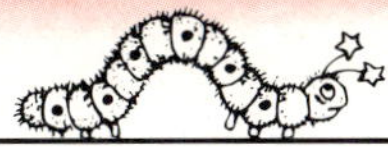

recht (es ist mir recht)
das **Recht|eck** – rechteckig → 1
rechts
der **Rechts|an|walt,** die Rechtsanwälte
die **Rechts|an|wäl|tin**
recht|zei|tig
das **Reck,** die Recke → 1
sich **re|cken,** du reckst dich → 1
das **Re|cyc|ling** – recyceln
die **Re|de** – reden
re|den, du redest
die **Re|form,** die Reformen
das **Re|gal,** die Regale
die **Re|gel,** die Regeln
re|gel|mä|ßig → 16
re|geln, du regelst
der **Re|gen** – regnen
sich **re|gen,** du regst dich
der **Re|gen|schau|er,** die Regenschauer
re|gie|ren, er regiert → 11
die **Re|gie|rung,** die Regierungen → 11
der **Re|gis|seur** – die Regie
die **Re|gis|seu|rin**
reg|nen, es regnet
reg|ne|risch
das **Reh,** die Rehe
rei|ben, du reibst, er rieb
die **Rei|bung** – reiben

reich
rei|chen, es reicht
reich|lich
der **Reich|tum,** die Reichtümer
reif (reifes Obst)
der **Reif** (Raureif)
der **Rei|fen,** die Reifen
die **Rei|he,** die Reihen
der **Reim,** die Reime
rei|men, du reimst
rein
rei|ni|gen, du reinigst
die **Rei|ni|gung** – reinigen
der **Reis**
die **Rei|se** – reisen
rei|sen, du reist (nach Italien reisen)
das **Rei|sig**
rei|ßen, du reißt, er riss (etwas auseinanderreißen) → 16
der **Reiß|ver|schluss,** die Reißverschlüsse → 16, 8
rei|ten, du reitest, er ritt
der **Rei|ter** – reiten
die **Rei|te|rin**
der **Reiz,** die Reize
rei|zen, du reizt
rei|zend
die **Re|kla|me,** die Reklamen
der **Re|kord,** die Rekorde → 22
der **Rek|tor,** die Rektoren

Denke an den gemeinsamen Wortstamm.

die **Rek|to|rin,** die Rektorinnen
re|la|tiv
die **Re|li|gi|on,** die Religionen
rem|peln, du rempelst
ren|nen, du rennst, er rannte
re|no|vie|ren, du renovierst → 11
die **Ren|te,** die Renten
sich **ren|tie|ren,** es rentiert sich → 11
der **Rent|ner,** die Rentner
die **Rent|ne|rin,** die Rentnerinnen
die **Re|pa|ra|tur,** die Reparaturen
re|pa|rie|ren, du reparierst → 11
die **Re|por|ta|ge,** die Reportagen
der **Re|por|ter,** die Reporter
die **Re|por|te|rin**
das **Rep|til,** die Reptilien
die **Re|pub|lik,** die Republiken
die **Re|ser|ve,** die Reserven
re|ser|vie|ren, du reservierst → 11
der **Res|pekt**
der **Rest,** die Reste
das **Res|tau|rant,** die Restaurants
ret|ten, du rettest → 9
der **Ret|tich,** die Rettiche → 9
die **Ret|tung** – retten → 9
die **Reue** → 18
das **Re|vier,** die Reviere → 11
der **Re|vol|ver,** die Revolver
das **Re|zept,** die Rezepte

rh

der **Rha|bar|ber** (Rhabarberkuchen)
der **Rhein** – das Rheinland
Rhein|land-Pfalz – rheinland-pfälzisch
rhyth|misch
der **Rhyth|mus,** die Rhythmen

ri

rich|ten, du richtest
der **Rich|ter**
die **Rich|te|rin**
rich|tig
die **Rich|tung,** die Richtungen
er **rieb** – reiben → 11
rie|chen, du riechst, er roch → 11
er **rief** – rufen → 11
der **Rie|gel,** die Riegel → 11
der **Rie|men,** die Riemen → 11
der **Rie|se,** die Riesen → 11
rie|seln, es rieselt → 11
rie|sig (ein riesiger Ballon) → 11
er **riet** – raten → 11
die **Ril|le,** die Rillen → 3
das **Rind,** die Rinder → 22
die **Rin|de,** die Rinden
der **Ring,** die Ringe
rin|gen, du ringst, er rang
rings|he|rum ✶
die **Rin|ne** – rinnen → 5
rin|nen, es rinnt, es rann → 5
die **Rip|pe,** die Rippen → 6
das **Ri|si|ko,** die Risiken [Risikos]
ris|kie|ren, du riskierst → 11

✶ Auch so kannst du trennen: **rings-her-um**. ✶

der **Riss,** die Risse → 8
er **riss** – reißen → 8
ris|sig (rissige Haut) → 8 *
der **Ritt,** die Ritte → 9
er **ritt** – reiten → 9
der **Rit|ter,** die Ritter → 9
die **Rit|ze** – ritzen → 10

ro

die **Rob|be,** die Robben
der **Ro|bo|ter,** die Roboter
ro|bust
er **roch** – riechen
rö|cheln, du röchelst
der **Rock,** die Röcke → 1
der **Ro|del** – rodeln
ro|deln, du rodelst
der **Rog|gen**
roh
das **Rohr,** die Rohre → 14
die **Röh|re,** die Röhren
die **Rol|le** – die Rollen → 3
rol|len, du rollst → 3
der **Rol|ler,** die Roller → 3
die **Rol|ler|blades** → 3
die **Rol|ler|skates** → 3
das **Rol|lo** (der Rollladen) → 3
der **Ro|man,** die Romane
ro|man|tisch
rönt|gen, er wird geröntgt
ro|sa
die **Ro|se,** die Rosen
ro|sig *
die **Ro|si|ne,** die Rosinen
das **Ross,** die Rosse → 8
der **Rost** – rosten
ros|ten, es rostet
rös|ten, du röstest
ros|tig *
rot – rötlich
das **Ro|te Kreuz**
der **Row|dy,** die Rowdys

ru

rub|beln, du rubbelst
die **Rü|be,** die Rüben
der **Ruck,** die Rucke → 1
der **Rü|cken,** die Rücken → 1
rü|cken, du rückst → 1
die **Rück|kehr** → 1, 13
die **Rück|sicht,** die Rücksichten → 1
rück|sichts|los → 1
die **Rück|tritt|brem|se** → 1, 9
rück|wärts → 1
das **Ru|del,** die Rudel
das **Ru|der,** die Ruder
ru|dern, du ruderst
der **Ruf,** die Rufe
ru|fen, du rufst, er rief
die **Rü|ge,** die Rügen
die **Ru|he** – ruhen
ru|hig *
der **Ruhm** – rühmen → 15
rüh|ren, du rührst

* Wörter mit der Endung **-ig** sind meist Wiewörter (Adjektive). *

die **Ru|i|ne,** die Ruinen
Ru|mä|ni|en – rumänisch
der **Rum|mel|platz** → 4, 10
rümp|fen, du rümpfst
rund → 22
die **Run|de,** die Runden
der **Rund|funk**
run|zeln, du runzelst ★
runz|lig ★
rup|fen, du rupfst
der **Ruß** → 16
der **Rüs|sel,** die Rüssel → 8
ru|ßig → 16
Russ|land – russisch → 8
rüs|tig
die **Rüs|tung** – rüsten
die **Ru|te,** die Ruten
rut|schen, du rutschst
rüt|teln, du rüttelst → 9

S

R S

sa

der **Saal,** die Säle → 12
die **Saa|le**
Saar|land – saarländisch
die **Saat,** die Saaten → 12
die **Sa|che,** die Sachen
sach|lich – die Sachkunde
säch|lich – die Sache → 19
Sach|sen – sächsisch
Sach|sen-An|halt – sachsen-anhaltinisch
der **Sack,** die Säcke → 1
sä|en, du säst – die Saat
der [das] **Safe,** die Safes
der **Saft,** die Säfte
saf|tig
die **Sa|ge** – sagen
die **Sä|ge** – sägen
sa|gen, du sagst
sä|gen, du sägst
sa|gen|haft
er **sah** – sehen
die **Sah|ne** – sahnig → 12
die **Sai|son** (Hochsaison)
die **Sai|te** (Gitarrensaite) → 17
das **Sak|ra|ment**
der **Sa|la|man|der,** die Salamander
die **Sa|la|mi**
der **Sa|lat,** die Salate
die **Sal|be** – salben
der **Sal|to,** die Saltos [Salti]
das **Salz** – salzen ★
sal|zen, du salzt ★
sal|zig ★
der **Sa|me[n],** die Samen
sam|meln, du sammelst → 4
die **Samm|lung** – sammeln → 4

★ Nach Mitlauten steht nur **z**, nie **tz**. ★

der **Sams|tag,** am Samstag
sams|tags
sämt|li|che
das **Sa|na|to|ri|um,** die Sanatorien
der **Sand** → 22
die **San|da|le,** die Sandalen
san|dig
er **sand|te** – senden
das [der] **Sand|wich,**
die Sandwich[e]s
sanft
er **sang** – singen
der **Sän|ger** – singen → 19
die **Sän|ge|rin** → 19
der **Sa|ni|tä|ter,** die Sanitäter
die **Sa|ni|tä|te|rin**
es **sank** – sinken
der **Sarg,** die Särge → 23
er **saß** – sitzen → 16
der **Sa|tel|lit,** die Satelliten
satt, am sattesten → 9
der **Sat|tel** – satteln → 9
der **Satz,** die Sätze → 10
die **Satz|aus|sa|ge** → 10
der **Satz|ge|gen|stand** → 10
die **Sau,** die Säue [Sauen]
sau|ber – säubern
sau|er
säu|er|lich – sauer → 20 ★
der **Sau|er|stoff** → 2
sau|fen, es säuft, es soff
es **säuft** – saufen → 20 ★
sau|gen, du saugst, er sog
das **Säu|ge|tier** – saugen → 20 ★
der **Säug|ling,** die Säuglinge → 20 ★
die **Säu|le,** die Säulen
der **Saum,** die Säume
die **Sau|na,** die Saunas [Saunen]
die **Säu|re,** die Säuren → 20 ★
der **Sau|ri|er,** die Saurier
sau|sen, du saust

sb

die **S-Bahn** (Schnellbahn) → 12

sc

der **Scan|ner** – scannen → 5

scha

scha|ben, du schabst
schä|big
die **Schab|lo|ne,** die Schablonen
das **Schach**
der **Schacht,** die Schächte
die **Schach|tel,** die Schachteln
scha|de
der **Schä|del,** die Schädel
der **Scha|den,** die Schäden
scha|den, du schadest
schäd|lich – der Schaden → 19
der **Schäd|ling** – schaden → 19
das **Schaf,** die Schafe
der **Schä|fer,** die Schäfer → 19
schaf|fen, du schaffst → 2
der **Schaff|ner,** die Schaffner → 2

S

★ Denke an das verwandte Wort mit **au**. ★

die **Schaff|ne|rin** → 2
der **Schal,** die Schals
die **Scha|le** – schälen
schä|len, du schälst → 19 ★
der **Schall** – schallen → 3
schal|len, es schallt → 3
die **Schall|plat|te,**
die Schallplatten → 3, 9
schal|ten, du schaltest
der **Schal|ter,** die Schalter
die **Schal|tung** – schalten
sich **schä|men,** du schämst dich ★
die **Schan|de**
die **Schan|ze,** die Schanzen
die **Schar,** die Scharen
scharf, schärfer, am schärfsten
die **Schär|fe** – scharf → 19 ★
schär|fer, am schärfsten –
scharf → 19 ★
der **Schar|lach**
schar|ren, es scharrt → 7
das **Schasch|lik,** die Schaschliks
der **Schat|ten,** die Schatten → 9
schat|tig → 9
der **Schatz,** die Schätze → 10
schät|zen, du schätzt → 19, 10 ★
die **Schau** – schauen
schau|en, du schaust
der **Schau|er**
die **Schau|fel,** die Schaufeln
schau|feln, du schaufelst

die **Schau|kel,** die Schaukeln
schau|keln, du schaukelst
der **Schaum** – schäumen
schäu|men, es schäumt → 20
schau|rig
der **Schau|spie|ler,** die Schauspieler
die **Schau|spie|le|rin** → 11

sche

der **Scheck,** die Schecks → 1
die **Schei|be,** die Scheiben
die **Schei|de,** die Scheiden
sich **schei|den** lassen,
du lässt dich scheiden
die **Schei|dung** – scheiden
der **Schein**
schein|bar
schei|nen, es scheint, es schien
der **Schei|tel,** die Scheitel
schei|tern, du scheiterst
schel|len, du schellst → 3
der **Sche|mel,** die Schemel
der **Schen|kel,** die Schenkel
schen|ken, du schenkst
die **Scher|be,** die Scherben
die **Sche|re,** die Scheren
der **Scherz** – scherzen
scher|zen, du scherzt
die **Scheu** → 18
scheu → 18
scheu|ern, du scheuerst → 18
die **Scheu|ne,** die Scheunen → 18

★ Denke an das verwandte Wort mit **a**. ★

scheuß|lich → 18, 16

schi

der **Schi** [Ski], die Schier [Skier]
die **Schicht,** die Schichten
schick [chic]
schi|cken, du schickst → 1
das **Schick|sal,** die Schicksale → 1
schie|ben, du schiebst, er schob → 11
der **Schieds|rich|ter** → 11
schief (ein schiefer Turm) → 11
schie|len, du schielst → 11
es **schien** – scheinen → 11
das **Schien|bein** → 11
die **Schie|ne,** die Schienen → 11
schie|ßen, du schießt, er schoss
das **Schiff,** die Schiffe → 2
die **Schiff|fahrt** → 2, 12 ✶
die **Schi|ka|ne,** die Schikanen
schi|ka|nie|ren, du schikanierst → 11
das **Schild,** die Schilder → 22
schil|dern, du schilderst
die **Schild|krö|te,** die Schildkröten
das **Schilf**
schil|lern, es schillert → 3
der **Schim|mel** – schimmeln→ 4
schim|me|lig [schimm|lig] → 4
der **Schim|mer** – schimmern → 4
schim|mern, es schimmert → 4
der **Schim|pan|se,** die Schimpansen
schimp|fen, du schimpfst
der **Schin|ken,** die Schinken
die **Schip|pe,** die Schippen → 6
der **Schirm,** die Schirme

schl

schlach|ten, du schlachtest
der **Schlach|ter** – schlachten
die **Schlach|te|rei** – schlachten
der **Schlaf** – schlafen
die **Schlä|fe,** die Schläfen
schla|fen, du schläfst, er schlief
schlaff → 2
schläf|rig – schlafen → 19
du **schläfst** – schlafen → 19
der **Schlag,** die Schläge → 23
schla|gen, du schlägst, er schlug
der **Schla|ger,** die Schlager
die **Schlä|ge|rei** → 19
du **schlägst** – schlagen → 19
der **Schlamm** → 4
schlam|mig → 4
die **Schlam|pe|rei**
schlam|pig
er **schlang** – schlingen
die **Schlan|ge** – sich schlängeln
schlank
schlapp → 6
das **Schla|raf|fen|land** → 2
schlau

S

✶ **fff** entsteht hier durch Zusammensetzen. ✶

der **Schlauch,** die Schläuche
die **Schlau|fe,** die Schlaufen
schlecht – am schlechtesten
schle|cken, du schleckst → 1
schlei|chen, du schleichst,
er schlich
der **Schlei|er,** die Schleier
schlei|er|haft ✶
die **Schlei|fe,** die Schleifen
schlei|fen, du schleifst, er schliff
der **Schleim** – schleimig
schlen|dern, du schlenderst
schlep|pen, du schleppst → 6
der **Schlep|per** – schleppen → 6
Schles|wig-Hol|stein –
schleswig-holsteinisch
die **Schleu|der,**
die Schleudern → 18
schleu|dern,
du schleuderst → 18
schleu|nigst → 18
die **Schleu|se** – schleusen → 18
er **schlich** – schleichen
schlicht
schlich|ten, du schlichtest
er **schlief** – schlafen → 11
schlie|ßen, du schließt,
er schloss → 11, 16
schließ|lich → 11, 16
er **schliff** – schleifen → 2
schlimm → 4
schlin|gen, du schlingst,
er schlang
die **Schling|pflan|ze**
der **Schlit|ten,** die Schlitten → 9
schlit|tern, du schlitterst → 9
der **Schlitt|schuh,**
die Schlittschuhe → 9
der **Schlitz,** die Schlitze → 10
das **Schloss,** die Schlösser → 8
er **schloss** – schließen → 8
der **Schlos|ser,** die Schlosser → 8
die **Schlos|se|rei** → 8
der **Schlot,** die Schlote
schlot|tern, du schlotterst → 9
die **Schlucht,** die Schluchten
schluch|zen, du schluchzt
der **Schluck** – schlucken → 1
der **Schluck|auf** → 1
schlu|cken, du schluckst → 1
er **schlug** – schlagen → 23
schlum|mern,
du schlummerst → 4
schlüp|fen, du schlüpfst
schlüpf|rig
schlur|fen, du schlurfst
schlür|fen, du schlürfst
der **Schluss,** die Schlüsse → 8
der **Schlüs|sel,** die Schlüssel → 8

schm

schmäch|tig
schmack|haft – schmecken → 1 ✶

S

✶ Wörter mit dem Wortbaustein **-haft** sind Wiewörter (Adjektive). ✶

schmal
das **Schmalz** ★
schmat|zen, du schmatzt → 10
schme|cken, es schmeckt → 1
schmei|cheln, du schmeichelst
schmei|ßen, du schmeißt, er schmiss → 16
schmel|zen, es schmilzt, es schmolz ★
der **Schmerz,** die Schmerzen ★
schmerz|haft ★
der **Schmet|ter|ling,** die Schmetterlinge → 9
der **Schmied,** die Schmiede → 11
schmie|ren, du schmierst → 11
der **Schmier|fink** – schmieren → 11
schmie|rig → 11
es **schmilzt** – schmelzen ★
die **Schmin|ke** – schminken
sich **schmin|ken,** du schminkst dich
er **schmiss** – schmeißen → 8
schmö|kern, du schmökerst
schmol|len, du schmollst → 3
es **schmolz** – schmelzen ★
schmo|ren, es schmort
der **Schmuck** – schmücken → 1
[sich] **schmü|cken,** du schmückst [dich] → 1
der **Schmugg|ler** – schmuggeln
schmun|zeln, du schmunzelst ★
schmu|sen, du schmust
der **Schmutz** → 10
schmut|zig → 10

schn

der **Schna|bel,** die Schnäbel
die **Schna|ke,** die Schnaken
die **Schnal|le,** die Schnallen → 3
schnal|zen, du schnalzt ★
schnap|pen, du schnappst → 6
der **Schnaps,** die Schnäpse
schnar|chen, du schnarchst
schnat|tern, du schnatterst → 9
schnau|ben, du schnaubst
schnau|fen, du schnaufst
die **Schnau|ze,** die Schnauzen
sich **schnäu|zen,** du schnäuzt dich
die **Schne|cke,** die Schnecken → 1
der **Schnee** → 13
schnei|den, du schneidest, er schnitt
der **Schnei|der,** die Schneider
die **Schnei|de|rin**
schnei|en, es schneit
schnell → 3
die **Schnel|lig|keit** → 3
schnip|peln, du schnippelst → 6
der **Schnitt,** die Schnitte → 9
er **schnitt** – schneiden → 9
der **Schnitt|lauch** → 9
das **Schnit|zel,** die Schnitzel → 10
schnit|zen, du schnitzt → 10

★ Nach Mitlauten steht nur **z**, nie **tz**. ★

der **Schnor|chel** – schnorcheln
schnüf|feln, du schnüffelst → 2
der **Schnul|ler,** die Schnuller → 3
der **Schnup|fen**
schnup|pern, du schnupperst
die **Schnur,** die Schnüre
schnü|ren, du schnürst
der **Schnurr|bart,**
die Schnurrbärte → 7
schnur|ren, sie schnurrt → 7
der **Schnür|sen|kel,**
die Schnürsenkel

scho

er **schob** – schieben
der **Schock** → 1
die **Scho|ko|la|de**
schon
schön, etwas Schönes
scho|nen, du schonst
die **Schön|heit** ★
die **Scho|nung** – schonen ★
schöp|fen, du schöpfst
der **Schöp|fer** – schöpfen
der **Schorn|stein,** die Schornsteine
der **Schorn|stein|fe|ger**
die **Schorn|stein|fe|ge|rin**
der **Schoß,** die Schöße → 16
er **schoss** – schießen → 8
der **Schot|ter** → 9

schr

schräg
die **Schram|me,**
die Schrammen → 4
der **Schrank,** die Schränke
die **Schran|ke,** die Schranken
die **Schrau|be,** die Schrauben
schrau|ben, du schraubst
der **Schreck [Schre|cken],**
die Schrecken → 1
schreck|lich → 1
der **Schrei,** die Schreie
schrei|ben, du schreibst,
er schrieb
schrei|en, du schreist,
er schrie
der **Schrei|ner,** die Schreiner
die **Schrei|ne|rei,** die Schreinereien
die **Schrei|ne|rin**
schrei|ten, du schreitest,
er schritt
er **schrie** – schreien → 11
er **schrieb** – schreiben → 11
die **Schrift,** die Schriften
schrift|lich
der **Schrift|stel|ler,**
die Schriftsteller → 3
die **Schrift|stel|le|rin** → 3
schrill → 3
der **Schritt** – schreiten → 9
er **schritt** – schreiten → 9
schroff → 2
der **Schrott** (Schrottplatz) → 9

★ **-ung** und **-heit** sind Wortbausteine für Namenwörter (Nomen). ★

schrub|ben, du schrubbst
der **Schrub|ber** – schrubben
schrump|fen, es schrumpft

schu

das **Schub|fach,** die Schubfächer
die **Schub|kar|re,** die Schubkarren → 7
die **Schub|la|de,** die Schubladen
der **Schubs,** die Schubse
schub|sen, du schubst
schüch|tern
der **Schuft**
der **Schuh,** die Schuhe
die **Schuld,** die Schulden → 22
schul|den, du schuldest
schul|dig
die **Schu|le,** die Schulen
der **Schü|ler,** die Schüler
die **Schü|le|rin,** die Schülerinnen
die **Schul|ter,** die Schultern
schum|meln, du schummelst → 4
die **Schup|pe,** die Schuppen → 6
der **Schup|pen,** die Schuppen → 6
schü|ren, du schürst
die **Schür|ze,** die Schürzen ★
der **Schuss,** die Schüsse → 8
die **Schüs|sel,** die Schüsseln → 8
schus|se|lig → 8
der **Schus|ter,** die Schuster
der **Schutt** → 9
schüt|teln, du schüttelst → 9
schüt|ten, du schüttest → 9
der **Schutz** → 10
der **Schüt|ze,** die Schützen → 10
schüt|zen, du schützt → 10

schw

Schwa|ben – schwäbisch
schwach, schwächer, am schwächsten
die **Schwä|che** – schwach → 19
schwä|cher, am schwächsten – schwach → 19
schwäch|lich – schwach → 19
der **Schwa|ger,** die Schwäger
die **Schwä|ge|rin,** die Schwägerinnen → 19
die **Schwal|be,** die Schwalben
der **Schwamm,** die Schwämme → 4
er **schwamm** – schwimmen → 4
der **Schwan,** die Schwäne
er **schwang** – schwingen
schwan|ger
die **Schwan|ger|schaft**
schwan|ken, du schwankst
der **Schwanz,** die Schwänze ★
schwän|zen, du schwänzt ★
der **Schwarm,** die Schwärme
schwär|men, du schwärmst → 19
schwarz ★
schwat|zen, du schwatzt → 10

S

★ Nach Mitlauten steht nur **z**, nie **tz**. ★

schwät|zen, du schwätzt

schwe|ben, du schwebst

Schwe|den – schwedisch

schwei|gen, du schweigst, er schwieg

schweig|sam ★

das **Schwein,** die Schweine

der **Schweiß** → 16

schwei|ßen, er schweißt → 16

die **Schweiz** – schweizerisch

die **Schwel|le,** die Schwellen → 3

schwel|len, es schwillt, es schwoll → 3

die **Schwel|lung** – schwellen → 3

schwen|ken, du schwenkst

schwer

schwer|fal|len, es fällt mir schwer → 3

schwer|fäl|lig → 19, 3 ★

schwer|hö|rig ★

das **Schwert,** die Schwerter

die **Schwes|ter,** die Schwestern

er **schwieg** – schweigen → 11

schwie|rig → 11 ★

die **Schwie|rig|keit** → 11

es **schwillt** – schwellen → 3

schwim|men, du schwimmst, er schwamm → 4

der **Schwim|mer** → 4

die **Schwim|me|rin** → 4

der **Schwin|del**

schwin|de|lig [schwind|lig] ★

schwin|deln, du schwindelst

schwin|gen, du schwingst, er schwang

schwir|ren, du schwirrst → 7

schwit|zen, du schwitzt → 10

es **schwoll** – schwellen → 3

er **schwor** – schwören

schwö|ren, du schwörst, er schwor

schwül – die Schwüle

der **Schwung,** die Schwünge

se

sechs, sechsmal

sech|zehn → 13

sech|zig

der **See,** die Seen → 13

die **See** (Ostsee)

die **See|le,** die Seelen → 13

das **Se|gel,** die Segel

se|geln, du segelst

der **Se|gen** – segnen

se|hen, du siehst, er sah

die **Seh|ne,** die Sehnen → 13

sich **seh|nen,** du sehnst dich → 13

die **Sehn|sucht** → 13

sehr → 13

seicht

seid (ihr seid fröhlich) – sein

die **Sei|de** (das Seidenkleid)

die **Sei|fe,** die Seifen

S

★ Wörter mit dem Wortbaustein **-ig** oder **-sam** sind Wiewörter (Adjektive). ★

das **Seil,** die Seile
sein, du bist, er war
sein, seine, seiner
seit (seit heute)
seit|dem
die **Sei|te,** die Seiten (Buchseite)
seit|wärts
der **Sek|re|tär,** die Sekretäre
das **Sek|re|ta|ri|at**
die **Sek|re|tä|rin,** die Sekretärinnen
der **Sekt**
die **Sek|te,** die Sekten
die **Se|kun|de,** die Sekunden
sel|ber
selbst
der **Selbst|laut,** die Selbstlaute
selbst|stän|dig
[selbständig] → 19
der **Selbst|be|die|nungs|la|den**
selbst|ver|ständ|lich
se|lig
sel|ten – die Seltenheit
das **Sel|ter[s]|was|ser** → 8
selt|sam
die **Sem|mel,** die Semmeln → 4
sen|den, du sendest,
er sandte [sendete]
die **Sen|dung** – senden
der **Senf**
sen|ken, du senkst
(den Blick senken)
senk|recht
die **Senk|rech|te,** die Senkrechten
die **Sen|sa|ti|on,** die Sensationen
sen|sa|ti|o|nell → 3
die **Sen|se,** die Sensen
sen|si|bel
der **Sep|tem|ber**
Ser|bi|en – serbisch
die **Se|rie,** die Serien
die **Ser|pen|ti|ne,** die Serpentinen
der **Ser|vice** (Kundendienst)
ser|vie|ren, du servierst → 11
die **Ser|vi|et|te,** die Servietten → 9
der **Ses|sel,** die Sessel → 8
sich **set|zen,** du setzt dich → 10
die **Seu|che,** die Seuchen → 18
seuf|zen, du seufzt → 18
der **Seuf|zer** – seufzen → 18

sh

das **Sham|poo,** die Shampoos ★
der **She|riff,** die Sheriffs ★
das **Shirt,** die Shirts ★
die **Shorts** (kurze Hose) ★
die **Show,** die Shows ★

si

sich
die **Si|chel,** die Sicheln
si|cher
die **Si|cher|heit**
die **Si|che|rung** – sichern
die **Sicht** – sehen

★ Diese Wörter aus anderen Sprachen werden mit **Sh** geschrieben. ★

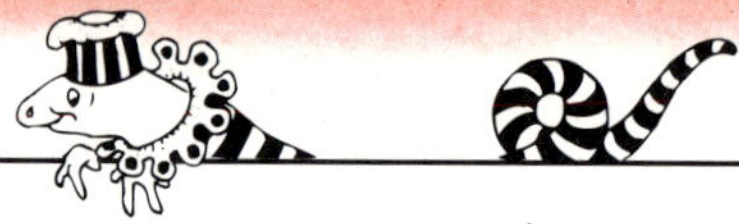

sicht|bar
sie
das **Sieb** – sieben → 11, 21
sie|ben, du siebst → 11
sie|ben, siebenmal
sieb|zehn → 11
sieb|zig → 11
die **Sied|lung** – siedeln → 11
der **Sieg** – siegen → 11, 23
sie|gen, du siegst → 11
du **siehst** – sehen → 11
das **Sig|nal,** die Signale
die **Sil|be,** die Silben
das **Sil|ber** – silbern
das **Si|lo,** die Silos
Sil|ves|ter
sie **sind,** sie waren – sein
sin|gen, du singst, er sang
(ein Lied singen)
der **Sin|gu|lar**
sin|ken, es sinkt, es sank
(ein Schiff sinkt)
der **Sinn,** die Sinne → 5
sinn|los → 5
die **Sint|flut**
die **Si|re|ne,** die Sirenen
der **Si|rup**
die **Sit|te,** die Sitten → 9
die **Si|tu|a|ti|on,** die Situationen
der **Sitz,** die Sitze → 10 ✱
sit|zen, du sitzt, er saß → 10 ✱
die **Sit|zung** – sitzen → 10 ✱

sk

die **Ska|la,** die Skalen
der **Skan|dal,** die Skandale
das **Skate|board,** die Skateboards
das **Ske|lett,** die Skelette → 9
der **Sketsch** [Sketch], die Sketsche
der **Ski** [Schi], die Skier [Schier]
die **Skiz|ze** – skizzieren
der **Skla|ve,** die Sklaven
die **Skla|vin**

sl

der **Sla|lom**
der **Slip,** die Slips
die **Slo|wa|kei** – slowakisch
Slo|we|ni|en – slowenisch

sm

der **Smog** (Smogalarm)

sn

das **Snow|board** – snowboarden

so

so
die **So|cke [**der **So|cken],**
die Socken → 1
so|dass [so dass]
das **So|fa,** die Sofas
es **soff** – saufen
so|fort
das **Soft|eis**
die **Soft|ware**
er **sog** – saugen → 23

S

✱ Denke an den gemeinsamen Wortstamm. ✱

so|gar
die **Soh|le** – besohlen → 14
der **Sohn,** die Söhne → 14
die **So|lar|ener|gie** (Solaranlage)
sol|che, solcher, solches
der **Sol|dat,** die Soldaten
die **So|le** (das Salzwasser)
sol|len, du sollst → 3
das **So|lo,** die Soli [Solos]
der **Som|mer** → 4
das **Son|der|an|ge|bot**
son|der|bar
die **Son|der|fahrt** → 12
son|dern
der **Song,** die Songs
der **Sonn|abend** → 5, 22
sonn|abends → 5
die **Son|ne** – sich sonnen → 5
son|nig – sich sonnen → 5
der **Sonn|tag,** am Sonntag → 5
sonn|tags → 5
sonst
so|oft
die **Sor|ge** – sorgen
sor|gen, du sorgst
die **Sorg|falt** – sorgfältig
die **Sor|te,** die Sorten
sor|tie|ren, du sortierst → 11
die **So|ße,** die Soßen → 16
der **Sound**
so|wie|so
so|wohl → 14
so|zi|al

spa

die **Spa|get|ti** [Spaghetti] → 9
spä|hen, du spähst
der **Spalt** – spalten
der **Span,** die Späne
die **Span|ge,** die Spangen
Spa|ni|en – spanisch
er **spann** – spinnen → 5
span|nen, du spannst → 5
span|nend → 5
die **Span|nung** → 5
spa|ren, du sparst
der **Spar|gel,** die Spargel
spar|sam
der **Spaß,** die Späße → 16 ★
spa|ßen, du spaßt → 16 ★
spa|ßig – spaßen → 16 ★
spät – am spätesten
der **Spa|ten,** die Spaten
spä|tes|tens
der **Spatz,** die Spatzen → 10
spa|zie|ren, du spazierst (spazieren gehen) → 11
der **Spa|zier|gang** → 11

spe

der **Specht,** die Spechte
der **Speck** → 1
spe|ckig → 1
der **Speer,** die Speere → 13

S

★ Denke an den gemeinsamen Wortstamm. ★

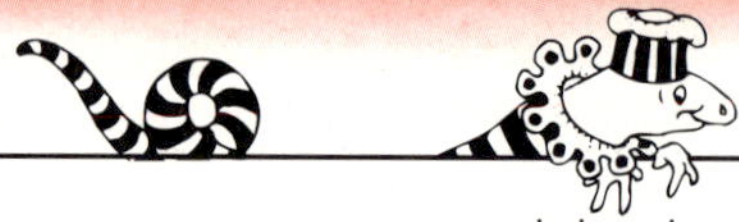

die **Spei|che,** die Speichen
der **Spei|chel**
der **Spei|cher** – speichern
spei|en, du speist, er spie
die **Spei|se,** die Speisen
spei|sen, du speist
der **Spek|ta|kel** (Lärm)
die **Spen|de** – spenden
spen|den, du spendest
der **Sper|ling,** die Sperlinge
die **Sper|re** – sperren → 7
sper|ren, du sperrst → 7
sich **spe|zi|a|li|sie|ren** → 11
der **Spe|zi|a|list,** die Spezialisten
die **Spe|zi|a|lis|tin**
die **Spe|zi|a|li|tät,** die Spezialitäten
spe|zi|ell → 3

spi

spi|cken, du spickst → 1
der **Spick|zet|tel** → 1, 9
er **spie** – speien → 11
der **Spie|gel** – spiegeln → 11
spie|geln, du spiegelst → 11
das **Spiel** – spielen → 11
spie|len, du spielst → 11
der **Spieß** – spießen → 11, 16
der **Spi|nat**
die **Spin|ne** – spinnen → 5
spin|nen, du spinnst → 5
der **Spi|on,** die Spione
die **Spi|o|nin,** die Spioninnen
spi|o|nie|ren, du spionierst → 11
die **Spi|ra|le,** die Spiralen
der **Spi|ri|tus**
spitz – am spitzesten → 10 ✱
die **Spit|ze,** die Spitzen → 10 ✱
der **Spit|zel,** die Spitzel → 10
spit|zen, du spitzt → 10 ✱
der **Spit|zer** – spitzen → 10 ✱

spl

der **Split|ter** – splittern → 9

spo

der **Spon|sor,** die Sponsoren
der **Sport** (Sport treiben)
der **Sport|ler,** die Sportler
die **Sport|le|rin,** die Sportlerinnen
sport|lich
der **Spot,** die Spots (Werbespot)
der **Spott** – verspotten → 9
spot|ten, du spottest → 9
spöt|tisch → 9

spr

er **sprach** – sprechen
die **Spra|che** – sprechen
sprach|los
er **sprang** – springen
das **Spray,** die Sprays
spre|chen, du sprichst, er sprach
der **Spre|cher** – sprechen
die **Spre|che|rin**
spren|gen, du sprengst

S

✱ Denke an den gemeinsamen Wortstamm. ✱

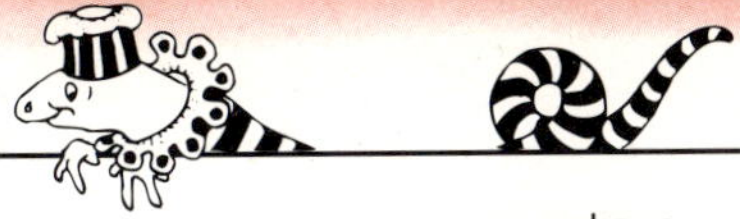

du **sprichst** – sprechen
das **Sprich|wort** – sprechen
sprie|ßen, es sprießt, es spross → 11, 16
sprin|gen, du springst, er sprang
der **Sprit**
die **Sprit|ze** – spritzen → 10
sprit|zen, du spritzt → 10
sprö|de (sprödes Material)
der **Spross** – sprießen → 8
es **spross** – sprießen → 8
die **Spros|se,** die Sprossen → 8
der **Spruch,** die Sprüche
der **Spru|del** – sprudeln
sprü|hen, du sprühst
der **Sprung,** die Sprünge
die **Sprung|schan|ze**

spu

die **Spu|cke** – spucken → 1
spu|cken, du spuckst → 1
der **Spuk**
spu|ken, es spukt
die **Spü|le** – spülen
spü|len, du spülst
die **Spur,** die Spuren
spü|ren, du spürst
spur|los
der **Spurt** (Endspurt)
spur|ten, du spurtest

sta

der **Staat,** die Staaten → 12
staat|lich → 12
der **Stab,** die Stäbe → 21
sta|bil
er **stach** – stechen
der **Sta|chel,** die Stacheln
sta|che|lig [stach|lig]
der **Sta|del,** die Stadel
das **Sta|di|on,** die Stadien
die **Stadt,** die Städte ✱
städ|tisch → 19 ✱
der **Stadt|rat,** die Stadträte ✱
die **Stadt|rä|tin** ✱
die **Staf|fel,** die Staffeln → 2
der **Stahl** (hart wie Stahl) → 12
er **stahl** – stehlen → 12
der **Stall,** die Ställe (Kuhstall) → 3
der **Stamm,** die Stämme → 4
stam|meln, du stammelst → 4
stamp|fen, du stampfst
der **Stand,** die Stände → 22
er **stand** – stehen → 22
der **Stän|der,** die Ständer → 19
stän|dig
die **Stan|ge,** die Stangen
der **Stän|gel,** die Stängel → 19
es **stank** – stinken
der **Sta|pel,** die Stapel
sta|peln, du stapelst
stap|fen, du stapfst
der **Star,** die Stare (Vogel)
der **Star,** die Stars (Filmstar)

✱ Nur wenige Wörter werden mit **-dt** geschrieben, z. B.: gesandt, verwandt. ✱

er **starb** – sterben → 21
stark, stärker, am stärksten
die **Stär|ke** – sich stärken → 19
stär|ker, am stärksten – stark
starr (starr vor Schreck) → 7
star|ren, du starrst → 7
der **Start,** die Starts
star|ten, du startest
die **Sta|ti|on,** die Stationen
statt → 9
statt|des|sen → 9, 8
statt|fin|den, es findet statt, es fand statt → 9
statt|lich → 9
die **Sta|tue,** die Statuen
der **Stau** – stauen
der **Staub** → 21
stau|ben, es staubt
stau|big ★
die **Stau|de,** die Stauden
sich **stau|en,** es staut sich
stau|nen, du staunst

ste

das **Steak,** die Steaks
ste|chen, du stichst, er stach
ste|cken, du steckst → 1
der **Ste|cker** – stecken → 1
der **Steg,** die Stege → 23
ste|hen, du stehst, er stand
steh|len, du stiehlst, er stahl (Geld stehlen) → 13
steif
stei|gen, du steigst, er stieg
stei|gern, du steigerst
die **Stei|gung** – steigen
steil
der **Stein,** die Steine
stei|nig ★
die **Stel|le** – stellen → 3
stel|len, du stellst (aufstellen) → 3
die **Stel|lung,** die Stellungen → 3
die **Stel|ze,** die Stelzen
stem|men, du stemmst → 4
der **Stem|pel** – stempeln
stem|peln, du stempelst
die **Step|pe** → 6
ster|ben, du stirbst, er starb
die **Ste|reo|an|la|ge** – stereo hören
der **Stern,** die Sterne
die **Stern|schnup|pe** → 6
stets
das **Steu|er** – steuern → 18
die **Steu|er,** die Steuern (Steuern zahlen) → 18

sti

der **Stich** – stechen
du **stichst** – stechen
sti|cken, du stickst → 1
der **Sti|cker,** die Sticker → 1
sti|ckig → 1 ★
der **Stie|fel,** die Stiefel → 11

S

★ Wörter mit der Endung **-ig** sind meist Wiewörter (Adjektive). ★

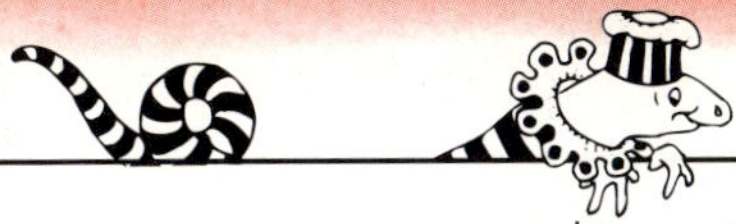

die **Stief|el|tern** (die Stiefmutter, der Stiefvater) → 11
er **stieg** – steigen → 11, 23
du **stiehlst** – stehlen → 11
der **Stiel,** die Stiele (Besenstiel) → 11
der **Stier,** die Stiere → 11
er **stieß** – stoßen → 11, 16
der **Stift,** die Stifte
stif|ten, du stiftest
der **Stil,** die Stile (Baustil) ✱
still → 3
die **Stil|le** → 3
die **Stim|me,** die Stimmen → 4
stim|men, es stimmt → 4
die **Stim|mung,** die Stimmungen
stin|ken, es stinkt, es stank
du **stirbst** – sterben
die **Stirn [Stir|ne]** (das Stirnband)

sto

stö|bern, du stöberst
sto|chern, du stocherst
der **Stock,** die Stöcke → 1
das **Stock|werk,** die Stockwerke → 1
der **Stoff,** die Stoffe → 2
stöh|nen, du stöhnst
der **Stol|len,** die Stollen → 3
stol|pern, du stolperst
der **Stolz**
stolz
stol|zie|ren, du stolzierst → 11
stop (auf Verkehrsschildern)
stop|fen, du stopfst
der **Stopp,** die Stopps → 6
die **Stop|peln** → 6
stop|pen, du stoppst → 6
der **Stöp|sel,** die Stöpsel
der **Storch,** die Störche
stö|ren, du störst
stör|risch → 7
die **Stö|rung** – stören
die **Sto|ry,** die Storys
der **Stoß** – stoßen → 16
sto|ßen, du stößt, er stieß → 16
stot|tern, du stotterst → 9

str

straf|bar
die **Stra|fe** – strafen
stra|fen, du strafst
der **Strahl,** die Strahlen → 12
strah|len, du strahlst → 12
die **Sträh|ne** – strähnig
stramm → 4
stram|peln, du strampelst
der **Strand,** die Strände → 22
die **Stra|pa|ze,** die Strapazen
die **Stra|ße,** die Straßen → 16
sich **sträu|ben,** du sträubst dich
der **Strauch,** die Sträucher
der **Strauß,** die Sträuße (Blumenstrauß) → 16
der **Stre|ber** – strebsam
die **Stre|cke** – strecken → 1

S

✱ Es gibt nur wenige Wörter mit lang gesprochenem **i** ohne Dehnungszeichen. ✱

sich **stre|cken,** du streckst dich → 1
der **Street|ball** ✶
der **Street|wor|ker,** die Streetworker ✶
die **Street|wor|ke|rin** ✶
der **Streich,** die Streiche
strei|cheln, du streichelst
strei|chen, du streichst, er strich
der **Strei|fen,** die Streifen
strei|fen, du streifst
der **Streik** – streiken
der **Streit** – streiten
strei|ten, du streitest, er stritt
die **Strei|te|rei,** die Streitereien
streng
der **Stress** – stressig → 8
streu|en, du streust → 18
streu|nen, du streunst → 18
der **Strich,** die Striche
er **strich** – streichen
der **Strick,** die Stricke → 1
stri|cken, du strickst → 1
er **stritt** – streiten → 9
das **Stroh** → 14
der **Strolch** – strolchen
der **Strom,** die Ströme

S

strö|men, es strömt
die **Strö|mung** – strömen
die **Stro|phe,** die Strophen
strub|be|lig
der **Stru|del,** die Strudel
der **Strumpf,** die Strümpfe
strup|pig → 6
der **Struw|wel|pe|ter**

stu

die **Stu|be,** die Stuben
das **Stück,** die Stücke → 1
der **Stu|dent,** die Studenten
die **Stu|den|tin,** die Studentinnen
stu|die|ren, du studierst → 11
das **Stu|di|um,** die Studien
die **Stu|fe,** die Stufen
der **Stuhl,** die Stühle → 15
stumm → 4
der **Stüm|per,** die Stümper
stumpf
die **Stun|de,** die Stunden
stünd|lich
stur
der **Sturm,** die Stürme
stür|men, es stürmt
der **Stür|mer,** die Stürmer
stür|misch
der **Sturz,** die Stürze
stür|zen, du stürzt
die **Stu|te,** die Stuten
die **Stüt|ze,** die Stützen → 10
stut|zen, du stutzt → 10
stüt|zen, du stützt → 10
stut|zig – stutzen → 10

sty

das **Sty|ro|por**

✶ Diese Wörter sind mit dem englischen Wort **street** (Straße) zusammengesetzt. ✶

su

das **Sub|jekt,** die Subjekte
das **Sub|stan|tiv,** die Substantive
sub|tra|hie|ren, du subtrahierst
die **Su|che** – suchen
su|chen, du suchst
die **Sucht,** die Süchte
süch|tig
der **Sü|den**
süd|lich
die **Sum|me,** die Summen → 4
sum|men, du summst → 4
der **Sumpf,** die Sümpfe
die **Sün|de,** die Sünden
sün|di|gen, du sündigst
su|per
der **Su|per|markt,** die Supermärkte
die **Sup|pe,** die Suppen → 6
sur|fen, du surfst
süß – am süßesten → 16
die **Sü|ßig|keit** → 16
süß|lich → 16

sw

das **Sweat|shirt,** die Sweatshirts
der **Swim|ming|pool**

sy

das **Sym|bol** – symbolisch
sym|pa|thisch
das **Sys|tem** – systematisch

sz

die **Sze|ne,** die Szenen

T

ta

der **Ta|bak**
die **Ta|bel|le,** die Tabellen → 3
das **Tab|lett,** die Tabletts → 9
die **Tab|let|te,** die Tabletten → 9
der **Ta|cho|me|ter,** die Tachometer
der **Ta|del** – tadeln
ta|del|los
die **Ta|fel,** die Tafeln
der **Tag,** die Tage → 23
ta|ge|lang
täg|lich → 19 ✶
der **Takt,** die Takte
takt|los
das **Tal,** die Täler
das **Ta|lent** – talentiert
die **Talk|show,** die Talkshows
der **Tank,** die Tanks (Benzintank)
tan|ken, du tankst
(Benzin tanken)
der **Tan|ker,** die Tanker
der **Tank|wart,** die Tankwarte
die **Tan|ne,** die Tannen → 5
die **Tan|te,** die Tanten
der **Tanz,** die Tänze
tan|zen, du tanzt
der **Tän|zer,** die Tänzer → 19 ✶

S
T

✶ Denke an das verwandte Wort mit **a**. ✶

die **Tän|ze|rin,** die Tänzerinnen
die **Ta|pe|te,** die Tapeten
ta|pe|zie|ren, du tapezierst ★
tap|fer
die **Tap|fer|keit**
sich **tar|nen,** du tarnst dich
die **Tar|nung**
die **Ta|sche,** die Taschen
die **Tas|se,** die Tassen → 8
die **Tas|te,** die Tasten
tas|ten, du tastest
die **Tat,** die Taten
er **tat** – tun
der **Tä|ter,** die Täter → 19
die **Tä|te|rin,** die Täterinnen → 19
tä|tig → 19
die **Tä|tig|keit** → 19
die **Tat|sa|che,** die Tatsachen
tat|säch|lich → 19
die **Tat|ze,** die Tatzen → 10
das **Tau,** die Taue (Tauziehen)
der **Tau** (Tautropfen)
taub → 21
die **Tau|be,** die Tauben
tau|chen, du tauchst
der **Tau|cher,** die Taucher
tau|en, es taut
die **Tau|fe,** die Taufen
tau|fen, du wirst getauft
tau|gen, es taugt nichts
tau|meln, du taumelst

der **Tausch** – tauschen
tau|schen, du tauschst
täu|schen, du täuschst → 20
die **Täu|schung** – täuschen → 20
tau|send → 22
das **Ta|xi,** die Taxis

te

das **Team,** die Teams
die **Tech|nik,** die Techniken
der **Tech|ni|ker,** die Techniker
die **Tech|ni|ke|rin**
tech|nisch
der **Ted|dy,** die Teddys
der **Tee,** die Tees → 13
der **Teer** – teeren → 13
der **Teich,** die Teiche
der **Teig,** die Teige
(Brotteig) → 23
der [das] **Teil,** die Teile
tei|len, du teilst
die **Teil|nah|me** – teilnehmen → 12
teil|neh|men,
du nimmst teil → 13
der **Teil|neh|mer,** die Teilnehmer
die **Teil|neh|me|rin** → 13
teil|wei|se
das **Te|le|fon,** die Telefone
te|le|fo|nie|ren,
du telefonierst → 11 ★
das **Te|le|gramm** → 4
der **Tel|ler,** die Teller → 3

★ Wörter mit der Endung **-ieren** sind meist Tunwörter (Verben). ★

der **Tem|pel,** die Tempel
das **Tem|pe|ra|ment**
die **Tem|pe|ra|tur,** die Temperaturen
das **Tem|po,** die Tempos [Tempi]
das **Ten|nis** (Tennis spielen) → 5
der **Tep|pich,** die Teppiche → 6
der **Ter|min,** die Termine
die **Ter|ras|se,** die Terrassen → 7, 8
der **Ter|ror** – terrorisieren → 7
der **Test,** die Tests [Teste]
das **Tes|ta|ment,** die Testamente
tes|ten, du testest
teu|er → 18
der **Teu|fel** – teuflisch → 18
der **Text,** die Texte

th

das **The|a|ter,** die Theater ★
die **The|ke,** die Theken ★
das **The|ma,** die Themen ★
the|o|re|tisch – die Theorie ★
die **The|ra|pie,** die Therapien ★
das **Ther|mo|me|ter,** die Thermometer ★
die **Ther|mos|fla|sche** ★
der **Thron,** die Throne ★
der **Thun|fisch** [Tunfisch] ★
Thü|rin|gen – thüringisch ★

ti

ti|cken, es tickt → 1
das **Ti|cket,** die Tickets (Flugticket)
tief → 11
die **Tie|fe,** die Tiefen → 11
das **Tier,** die Tiere → 11
der **Ti|ger,** die Tiger
die **Tin|te,** die Tinten
der **Tipp,** die Tipps → 6
tip|pen, du tippst → 6
tipp|topp → 6
der **Tisch,** die Tische
der **Ti|tel,** die Titel

to

der **Toast,** die Toasts [Toaste]
to|ben, du tobst
die **Toch|ter,** die Töchter
der **Tod** → 22
töd|lich
tod|si|cher
das **To|hu|wa|bo|hu**
die **Toi|let|te,** die Toiletten → 9
to|le|rant
toll → 3
tol|len, du tollst (herumtollen) → 3
der **Toll|patsch** – tollpatschig
die **Toll|wut** – tollwütig → 3
die **To|ma|te,** die Tomaten
die **Tom|bo|la**
der **Ton,** die Töne
tö|nen, es tönt
die **Ton|ne,** die Tonnen → 5
der **Topf,** die Töpfe
top|fit

T

★ **Th** am Wortanfang ist selten. Merke dir diese Wörter. ★

das **Tor,** die Tore
der **Torf**
tö|richt
tor|keln, du torkelst
der **Tor|nis|ter,** die Tornister
die **Tor|te,** die Torten
der **Tor|wart**
tot ★
to|tal
der **To|te,** die Toten ★
die **To|te** ★
tö|ten, du tötest ★
to|ten|blass → 8 ★
to|ten|still → 3 ★
sich **tot|la|chen,** er lacht sich tot ★
die **Tour,** die Touren
der **Tou|rist,** die Touristen
die **Tou|ris|tin,** die Touristinnen

tr

tra|ben, du trabst
die **Tracht,** die Trachten
er **traf** – treffen
der **Tra|fo,** die Trafos
träg [trä|ge]
tra|gen, du trägst, er trug
der **Trä|ger** – tragen → 19
du **trägst** – tragen → 19
der **Trai|ner,** die Trainer
die **Trai|ne|rin,** die Trainerinnen
trai|nie|ren, du trainierst → 11
das **Trai|ning**
der **Trak|tor,** die Traktoren
tram|peln, du trampelst
das **Tram|po|lin**
die **Trä|ne,** die Tränen
er **trank** – trinken
der **Trans|port,** die Transporte
trans|por|tie|ren, du transportierst → 11
er **trat** – treten
die **Trau|be,** die Trauben
sich **trau|en,** du traust dich
die **Trau|er**
trau|ern, du trauerst
der **Traum,** die Träume
träu|men, du träumst → 20
trau|rig
die **Trau|ung**
der **Tre|cker,** die Trecker → 1
tref|fen, du triffst, er traf → 2
der **Tref|fer** – treffen → 2
trei|ben, du treibst, er trieb
tren|nen, du trennst → 5
die **Tren|nung** – trennen → 5
die **Trep|pe,** die Treppen → 6
der **Tre|sor,** die Tresore
tre|ten, du trittst, er trat
treu → 18
die **Treue** → 18
treu|los → 18
die **Tri|bü|ne,** die Tribünen
der **Trich|ter,** die Trichter

★ Denke an den gemeinsamen Wortstamm. ★

der **Trick** – tricksen → 1
er **trieb** – treiben → 11, 21
du **triffst** – treffen → 2
das **Tri|kot,** die Trikots
die **Tril|ler|pfei|fe** → 3
der **Trimm-dich-Pfad** → 4
sich **trim|men,** du trimmst dich → 4
trin|ken, du trinkst, er trank
trip|peln, du trippelst (kleine Schritte machen) → 6
der **Tritt,** die Tritte → 9
du **trittst** – treten → 9
der **Tri|umph,** die Triumphe
tri|um|phie|ren, du triumphierst → 11
tro|cken → 1
die **Tro|cken|heit** → 1
trock|nen, es trocknet → 1
trö|deln, du trödelst
die **Trom|mel,** die Trommeln → 4
trom|meln, du trommelst → 4
die **Trom|pe|te,** die Trompeten
tröp|feln, es tröpfelt
der **Trop|fen,** die Tropfen
trop|fen, es tropft
der **Trost** – trösten
trös|ten, du tröstest
der **Trot|tel,** die Trottel → 9
der **Trotz** – trotzen → 10 ✶
trotz|dem → 10 ✶
trot|zen, du trotzt → 10 ✶
trot|zig → 10 ✶
trüb [trü|be]
der **Tru|bel**
er **trug** – tragen → 23
die **Tru|he,** die Truhen
die **Trüm|mer** → 4
der **Trumpf,** die Trümpfe
die **Trup|pe,** die Truppen → 6
der **Trut|hahn,** die Truthähne → 12

ts

Tsche|chi|en – tschechisch
tschüs [tschüss]
das **T-Shirt,** die T-Shirts

tu

die **Tu|be,** die Tuben
das **Tuch,** die Tücher
tüch|tig
tü|ckisch – die Tücke → 1
tüf|teln, du tüftelst
die **Tul|pe,** die Tulpen
sich **tum|meln,** du tummelst dich → 4
der **Tu|mor,** die Tumore
der **Tüm|pel,** die Tümpel
der **Tu|mult,** die Tumulte
tun, du tust, er tat
der **Tun|fisch** [Thunfisch]
der **Tun|nel,** die Tunnel[s] → 5
tup|fen, du tupfst
die **Tür,** die Türen
der **Tur|ban,** die Turbane

T

✶ Denke an den gemeinsamen Wortstamm. ✶

die **Tur|bi|ne,** die Turbinen
die **Tür|kei** – türkisch
tür|kis
der **Turm,** die Türme
tur|nen, du turnst
das **Tur|nier,** die Turniere
die **Tu|sche** (Tuschzeichnung)
tu|scheln, du tuschelst
die **Tü|te,** die Tüten
tu|ten, es tutet
der **TÜV** (**T**echnischer **Ü**ber-wachungs**v**erein)

tv

TV (**T**ele**v**ision)

ty

der **Typ,** die Typen
ty|pisch

U

ub

die **U-Bahn** (**U**ntergrund**b**ahn)
übel, mir ist übel
üben, du übst
über ✱
über|all → 3
über|flüs|sig → 8
über|flu|tet
über|füllt → 3
über|haupt
über|lis|ten, du überlistest
über|mor|gen
der **Über|mut** – übermütig
über|que|ren, du überquerst
über|ra|schen, du überraschst
die **Über|ra|schung** – überraschen
die **Über|schwem|mung** – überschwemmen → 4
über|sicht|lich
über|zeu|gen, du überzeugst → 18
üb|lich
das **U-Boot** (**U**nterseе**b**oot) → 14
üb|rig
üb|ri|gens
die **Übung** – üben

uf

das **Ufer,** die Ufer
das **Ufo,** die Ufos

uh

die **Uhr,** die Uhren → 15
der **Uhu,** die Uhus

ul

ul|kig

um

um ✱
die **Um|ge|bung** – umgeben
um|ge|kehrt → 13
der **Um|hang,** die Umhänge

T U

✱ Denke an Zusammensetzungen mit den Wortbausteinen **über-** und **um-**. ✱

um|her
um|keh|ren, du kehrst um → 13
der **Um|laut,** die Umlaute
der **Um|riss,** die Umrisse → 8
der **Um|schlag,** die Umschläge
um|sonst
um|ständ|lich → 19
der **Um|weg,** die Umwege → 23
der **Um|welt|schutz** → 10
um|zie|hen, du ziehst um → 11
der **Um|zug,** die Umzüge

un

un|be|dingt
un|be|quem
und
un|end|lich
un|ent|gelt|lich
un|ent|schie|den → 11
un|er|hört
un|er|träg|lich → 19
un|fair
der **Un|fall,** die Unfälle → 3
der **Un|fug**
Un|garn – ungarisch
un|ge|fähr
das **Un|ge|heu|er,** die Ungeheuer → 18
un|ge|heu|er|lich → 18
un|ge|nü|gend → 22
das **Un|ge|zie|fer** → 11
un|ge|zo|gen
un|glaub|lich
das **Un|glück,** die Unglücke → 1
die **Uni|form,** die Uniformen
die **Uni|ver|si|tät,** die Universitäten
das **Un|kraut,** die Unkräuter
das **Un|recht**
die **Un|ru|he,** die Unruhen
un|ru|hig
uns, unser, unsere
die **Un|schuld** → 22
un|schul|dig
der **Un|sinn** → 5
un|sin|nig → 5
un|ten
un|ter
die **Un|ter|bre|chung** – unterbrechen
un|ter|des|sen → 8
un|ter|ei|nan|der ✱
die **Un|ter|füh|rung**
der **Un|ter|gang** – untergehen
un|ter|halb → 21
sich **un|ter|hal|ten,** du unterhältst dich
die **Un|ter|hal|tung** – unterhalten
der **Un|ter|richt** – unterrichten
un|ter|schei|den, du unterscheidest
der **Un|ter|schied,** die Unterschiede → 11
der **Un|ter|schlupf**

✱ Dieses Wort kannst du auch anders trennen: **un-ter-ein-an-der**. ✱

die **Un|ter|schrift,**
die Unterschriften
die **Un|ter|stüt|zung** – unterstützen
die **Un|ter|su|chung** –
untersuchen
un|ter|wegs
un|ver|schämt → 19
das **Un|wet|ter,** die Unwetter → 9
un|zäh|lig → 19

up

üp|pig → 6

ur

ur|alt
die **Ur|groß|el|tern** → 16
die **Ur|groß|mut|ter** → 16, 9
der **Ur|groß|va|ter** → 16
der **Urin**
die **Ur|kun|de,** die Urkunden
der **Ur|laub** → 21
die **Ur|sa|che,** die Ursachen
der **Ur|sprung** – ursprünglich
das **Ur|teil,** die Urteile
ur|tei|len, du urteilst
der **Ur|wald,** die Urwälder → 22

us

die **USA**
(**U**nited **S**tates of **A**merica)

uv

die **UV-Strah|len** (**u**ltra**v**iolette
Strahlen) → 12

V

va

va|ge
die **Va|gi|na**
der **Vam|pir,** die Vampire
die **Va|nil|le** (das Vanilleeis) → 3
die **Va|se,** die Vasen
der **Va|ter,** die Väter

ve

der **Ve|ge|ta|ri|er,** die Vegetarier
die **Ve|ge|ta|ri|e|rin**
das **Veil|chen,** die Veilchen
das **Ven|til,** die Ventile
der **Ven|ti|la|tor,** die Ventilatoren
sich **ver|ab|re|den,**
du verabredest dich ✱
die **Ver|ab|re|dung,**
die Verabredungen ✱
sich **ver|ab|schie|den,**
du verabschiedest dich → 11 ✱
die **Ver|ach|tung** – verachten ✱
die **Ve|ran|da,** die Veranden
die **Ver|an|stal|tung** – veranstalten ✱
ver|ant|wort|lich ✱
die **Ver|ant|wor|tung** – verantworten ✱
ver|äp|peln, du veräppelst ✱
das **Verb,** die Verben → 21
der **Ver|band,** die Verbände → 22 ✱

✱ Denke an Zusammensetzungen mit dem Wortbaustein **ver-**. ✱

er **ver|barg** – verbergen → 23
ver|ber|gen, du verbirgst, er verbarg
ver|bes|sern, du verbesserst → 8
die **Ver|bes|se|rung** → 8
sich **ver|beu|gen** → 18
die **Ver|beu|gung** → 18
ver|bie|ten, du verbietest, er verbot → 11
ver|bin|den, du verbindest
du **ver|birgst** – verbergen
ver|blüfft – verblüffen → 2
ver|bor|gen – verbergen
das **Ver|bot** – verbieten
er **ver|bot** – verbieten
ver|bo|ten – verbieten
der **Ver|brau|cher** – verbrauchen
das **Ver|bre|chen,** die Verbrechen
der **Ver|bre|cher,** die Verbrecher
die **Ver|bre|che|rin**
die **Ver|bren|nung** – verbrennen → 5
der **Ver|dacht** – verdächtig
ver|däch|ti|gen, du verdächtigst → 19
ver|dammt → 4
er **ver|darb** – verderben → 21
ver|dau|en, du verdaust
die **Ver|dau|ung** – verdauen
ver|der|ben, es verdirbt, es verdarb
ver|die|nen, du verdienst → 11
der **Ver|dienst** – verdienen → 11
du **ver|dirbst** – verderben
ver|dor|ben – verderben
ver|dor|ren, es verdorrt → 7
ver|dun|keln, du verdunkelst
ver|duns|ten, es verdunstet
die **Ver|duns|tung** – verdunsten
ver|durs|ten, du verdurstest
ver|dutzt → 10
ver|eh|ren, du verehrst → 13
der **Ver|ein,** die Vereine
ver|ein|ba|ren, du vereinbarst
der **Ver|fas|ser,** die Verfasser → 8
die **Ver|fas|se|rin** → 8
die **Ver|fas|sung,** die Verfassungen → 8
ver|fau|len, es verfault
ver|flixt
ver|fol|gen, du verfolgst
die **Ver|gan|gen|heit**
er **ver|gaß** – vergessen → 16
ver|ge|bens
ver|geb|lich ✶
ver|ges|sen, du vergisst, er vergaß → 8
ver|gess|lich – vergessen ✶
ver|geu|den, du vergeudest → 18
das **Ver|giss|mein|nicht**
du **ver|gisst** – vergessen → 8

V

✶ Wörter mit dem Wortbaustein **-lich** sind meist Wiewörter (Adjektive). ✶

ver|glei|chen, du vergleichst, er verglich
ver|gli|chen – vergleichen
das **Ver|gnü|gen** – sich vergnügen
ver|gnügt
ver|grö|ßern, du vergrößerst → 16
die **Ver|grö|ße|rung** → 16
ver|haf|ten
die **Ver|haf|tung,** die Verhaftungen
sich **ver|hal|ten,** du verhältst dich, er verhielt sich
das **Ver|hält|nis|wort,** die Verhältniswörter
du **ver|hältst** dich – verhalten → 19
ver|hee|rend → 13 ★
ver|heim|li|chen, du verheimlichst
ver|hei|ra|tet
ver|hext
er **ver|hielt** sich – verhalten → 11 ★
ver|hin|dern, du verhinderst
ver|höh|nen, du verhöhnst
sich **ver|ir|ren,** du verirrst dich → 7
ver|kau|fen, du verkaufst
der **Ver|käu|fer,** die Verkäufer → 20
die **Ver|käu|fe|rin** → 20
der **Ver|kehr** → 13 ★
ver|kehrt → 13 ★
sich **ver|klei|den,** du verkleidest dich
ver|krampft

ver|lan|gen, du verlangst
ver|län|gern, du verlängerst → 19
die **Ver|län|ge|rung** → 19
ver|las|sen, du verlässt, er verließ → 8
ver|let|zen, du verletzt → 10
ver|letzt → 10
die **Ver|let|zung** – verletzen → 10
ver|lie|ren, du verlierst, er verlor → 11 ★
er **ver|ließ** – verlassen → 11, 16 ★
die **Ver|lo|bung** – sich verloben
er **ver|lor** – verlieren
ver|lo|ren – verlieren
die **Ver|lo|sung** – verlosen
der **Ver|lust** – verlieren
[sich] **ver|meh|ren,** sie vermehren [sich] → 13 ★
ver|mei|den, du vermeidest, er vermied
ver|mie|den – vermeiden → 11 ★
ver|mis|sen, du vermisst → 8
das **Ver|mö|gen**
ver|mu|ten, du vermutest
ver|mut|lich
die **Ver|mu|tung** – vermuten
ver|nich|ten, du vernichtest
ver|nünf|tig
die **Ver|pa|ckung** – verpacken → 1
ver|pas|sen, du verpasst → 8

V

★ Diese Wörter enthalten ein Dehnungszeichen. ★

ver|pet|zen, du verpetzt → 10
die **Ver|pfle|gung** – verpflegen
ver|plem|pern, du verplemperst
der **Ver|rat** – der Verräter ★
ver|ra|ten, du verrätst, er verriet ★
ver|rei|sen, du verreist ★
er **ver|riet** – verraten → 11 ★
ver|rückt → 1 ★
der **Vers,** die Verse (Liedvers)
der **Ver|sand** – versenden → 22
ver|säu|men, du versäumst
ver|scheu|chen, du verscheuchst → 18
ver|schie|den → 11
ver|schla|fen, du verschläfst, er verschlief
du **ver|schläfst** – verschlafen → 19
ver|schlam|pen, du verschlampst
sich **ver|schlech|tern,** du verschlechterst dich
er **ver|schlief** – verschlafen → 11
ver|schlie|ßen, du verschließt, er verschloss → 11, 16
ver|schlos|sen – verschließen
der **Ver|schluss,** die Verschlüsse → 8
die **Ver|schmut|zung** – verschmutzen → 10
er **ver|schwand** – verschwinden → 22
ver|schwen|den, du verschwendest
ver|schwin|den, du verschwindest, er verschwand
ver|schwom|men – verschwimmen → 4
ver|schwun|den – verschwinden
aus **Ver|se|hen**
ver|se|hent|lich
ver|sen|gen, du versengst (die Tischdecke versengen)
ver|sen|ken, du versenkst (ein Schiff versenken)
ver|set|zen, du wirst versetzt → 10
die **Ver|si|che|rung** – versichern
ver|si|ckern, es versickert → 1
sich **ver|söh|nen,** du versöhnst dich
die **Ver|spä|tung** – sich verspäten
das **Ver|spre|chen** – versprechen
der **Ver|stand** – verstehen
er **ver|stand** – verstehen → 22
ver|ständ|lich → 19
ver|stau|chen, du verstauchst
das **Ver|steck** – verstecken → 1
ver|ste|hen, du verstehst, er verstand
der **Ver|such** – versuchen
ver|su|chen, du versuchst
ver|tei|di|gen, du verteidigst

V

★ **-rr-** entsteht hier durch Zusammensetzungen mit **ver-**. ★

der **Ver|tei|di|ger,** die Verteidiger
die **Ver|tei|di|ge|rin**
der **Ver|trag,** die Verträge → 23
sich **ver|tra|gen,** du verträgst dich, er vertrug sich
das **Ver|trau|en**
ver|trau|en, du vertraust
ver|trau|lich
der **Ver|tre|ter,** die Vertreter
die **Ver|tre|te|rin,** die Vertreterinnen
er **ver|trug** sich – sich vertragen
ver|un|glü|cken, du verunglückst → 1
ver|ur|tei|len, du verurteilst
ver|viel|fa|chen, du vervielfachst
sich **ver|wan|deln,** du verwandelst dich
ver|wandt sein
der **Ver|wand|te,** die Verwandten
ver|wech|seln, du verwechselst
der **Ver|weis,** die Verweise
ver|wel|ken, es verwelkt
die **Ver|wen|dung** – verwenden
ver|wirrt – verwirren → 7
ver|wit|tern, es verwittert → 9
ver|wöh|nen, du verwöhnst
ver|wun|dert – sich wundern
ver|wun|det
die **Ver|wun|dung** – der Verwundete
ver|zeh|ren, du verzehrst → 13
das **Ver|zeich|nis,** die Verzeichnisse
ver|zei|hen, du verzeihst, er verzieh
ver|zich|ten, du verzichtest
ver|zie|ren, du verzierst → 11
die **Ver|zie|rung** – verzieren → 11
ver|zwei|feln, du verzweifelst
ver|zwickt → 1
ves|pern, du vesperst
der **Vet|ter,** die Vettern → 9

vi

das **Vi|deo** (der Videorekorder)
der **Vi|deo|clip,** die Videoclips
die **Vi|deo|thek,** die Videotheken
das **Vieh** → 11
viel, mehr, am meisten → 11
viel|fäl|tig → 11, 19
der **Viel|fraß,** die Vielfraße → 11, 16
viel|leicht → 11
vier, viermal → 11
das **Vier|eck,** die Vierecke → 11, 1
das **Vier|tel,** die Viertel → 11
vier|tens → 11
vier|zehn → 11, 13
vier|zig → 11
die **Vil|la,** die Villen → 3
vi|o|lett → 9
die **Vi|o|li|ne,** die Violinen ✱
das [der] **Vi|rus,** die Viren

✱ Wörter mit der Endung **-ine** werden ohne Dehnungszeichen geschrieben. ✱

das **Vi|ta|min,** die Vitamine

vo

der **Vo|gel,** die Vögel
die **Vo|ka|bel,** die Vokabeln
der **Vo|kal,** die Vokale
das **Volk,** die Völker
voll → 3
der **Vol|ley|ball,** die Volleybälle → 3
völ|lig → 3
voll|kom|men → 3, 4
voll|stän|dig → 3, 19
voll|zäh|lig → 3, 19
vom
von
vor
vo|ran ✱
vo|raus ✱
vo|raus|sicht|lich ✱
vor|bei
das **Vor|bild,** die Vorbilder → 23
vor|bild|lich
der **vor|de|re** Wagen
der **Vor|der|mann** → 5
vor|ei|lig
vor|erst
die **Vor|fahrt** → 12
vor|han|den
der **Vor|hang,** die Vorhänge
vor|her
vo|ri|ges Jahr
vor|läu|fig → 20
vor|laut – am vorlautesten
der **Vor|mit|tag,**
am Vormittag → 9
vor|mit|tags → 9
der **Vor|mund**
vorn
der **Vor|na|me,** die Vornamen
vor|nehm → 13
der **Vor|ort,** die Vororte
der **Vor|rat,** die Vorräte
der **Vor|satz,** die Vorsätze → 10
zum **Vor|schein** kommen
der **Vor|schlag,**
die Vorschläge → 23
die **Vor|schrift,** die Vorschriften
die **Vor|sicht**
vor|sich|tig
die **Vor|sil|be,** die Vorsilben
der **Vor|stand,** die Vorstände → 22
[sich] **vor|stel|len,**
du stellst [dich, dir] vor → 3
die **Vor|stel|lung** – vorstellen → 3
der **Vor|teil,** die Vorteile
der **Vor|trag,** die Vorträge → 23
vo|rü|ber ✱
die **Vor|wahl** → 12
vor|wärts
der **Vor|wurf,** die Vorwürfe

vu

der **Vul|kan,** die Vulkane

✱ Diese Wörter kannst du auch nach dem **r** trennen, z.B.: **vor-an.** ✱

W

wa

die **Waa|ge** – wiegen → 12
waa|ge|recht [waag|recht] → 12
die **Wa|be,** die Waben
wach ✶
wa|chen, du wachst ✶
das **Wachs,** die Wachse
wach|sam ✶
wach|sen, du wächst, er wuchs
der **Wäch|ter** – wachen → 19 ✶
wa|cke|lig [wack|lig] → 1
wa|ckeln, du wackelst → 1
die **Wa|de,** die Waden
die **Waf|fe,** die Waffen → 2
die **Waf|fel,** die Waffeln → 2
wa|ge|mu|tig
der **Wa|gen,** die Wagen
wa|gen, du wagst
der **Wag|gon** [Wagon], die Waggons
wag|hal|sig
der **Wa|gon** [Waggon], die Wagons
die **Wahl** – wählen → 12
wäh|len, du wählst → 19
der **Wahn|sinn** – wahnsinnig → 12, 5
wahr (eine wahre Geschichte) → 12
wäh|rend
wahr|haf|tig → 12
die **Wahr|heit** → 12
wahr|schein|lich → 12
das **Wai|sen|haus,** die Waisenhäuser → 17
das **Wai|sen|kind** → 17, 22
der **Wal,** die Wale (Walfang)
der **Wald,** die Wälder → 22
der **Walk|man**
der **Wall,** die Wälle (Schutzwall) → 3
wall|fah|ren → 3, 12
die **Wall|fahrt** → 3, 12
die **Wal|nuss,** die Walnüsse → 8
die **Wal|ze** – wälzen
[sich] **wäl|zen,** du wälzt [dich] → 19
die **Wand,** die Wände → 22
er **wand** sich – sich winden → 22
der **Wan|de|rer** – wandern
wan|dern, du wanderst
die **Wan|de|rung** – wandern
er **wand|te** sich – sich wenden
die **Wan|ge,** die Wangen
wan|ken, du wankst
wann → 5
die **Wan|ne,** die Wannen → 5
das **Wap|pen,** die Wappen → 6
er **war** – sein
er **warb** – werben → 21

✶ Denke an den gemeinsamen Wortstamm. ✶

die **Wa|re,** die Waren
er **warf** – werfen
warm, wärmer, am wärmsten
die **Wär|me** – wärmen → 19
wär|men, du wärmst → 19
wär|mer, am wärmsten – warm → 19
war|nen, du warnst
du **warst** – sein
war|ten, du wartest
der **Wär|ter** – warten → 19
die **Wär|te|rin**
wa|rum
die **War|ze,** die Warzen
was
die **Wä|sche** – waschen → 19
[sich] **wa|schen,** du wäschst [dich], er wusch [sich]
das **Was|ser** → 8
wa|ten, du watest
die **Wat|sche,** die Watschen
wat|scheln, du watschelst
das **Watt** (Wattenmeer) → 9
die **Wat|te** → 9

we

we|ben, du webst
das **Wech|sel|geld** – wechseln → 22
wech|seln, du wechselst
we|cken, du weckst → 1
der **We|cker** – wecken → 1
we|deln, du wedelst
we|der
der **Weg,** die Wege → 23
weg
we|gen
der **Weg|wei|ser,** die Wegweiser
we|hen, es weht
sich **weh|ren,** du wehrst dich → 13
weh|tun [weh tun], es tut weh
das **Weib,** die Weiber → 21
weib|lich
weich
die **Wei|che** – weichen
die **Wei|de** – weiden
sich **wei|gern,** du weigerst dich
wei|hen, er weiht
der **Wei|her,** die Weiher
Weih|nach|ten
weih|nacht|lich
der **Weih|rauch**
weil
eine **Wei|le**
der **Wein,** die Weine
wei|nen, du weinst
wei|se (ein weiser Rat)
weis|ma|chen, du machst ihm weis
weiß (weiße Farbe) → 16
er **weiß** – wissen → 16
du **weißt** – wissen → 16
weit
wei|ter ✶

W

✶ Hier stehen keine Zusammensetzungen mit **weiter-**. Schlage getrennt nach. ✶

weit|sich|tig
der **Weit|sprung**
der **Wei|zen**
wel|che, welcher, welches
welk
wel|ken, sie welkt
die **Wel|le,** die Wellen → 3
der **Wel|len|sit|tich** → 3, 9
wel|lig → 3
der **Wel|pe,** die Welpen
die **Welt**
das **Welt|all** (der Weltraum) → 3
wem – wer
wen – wer
die **Wen|del|trep|pe** → 6
wen|den, du wendest
wen|dig
we|nig
we|nigs|tens
wenn (wenn ich ...)
wer
die **Wer|bung** – werben
wer|den, du wirst, er wurde
wer|fen, du wirfst, er warf
die **Werft,** die Werften
das **Werk,** die Werke
die **Werk|statt,**
die Werkstätten → 9
der **Werk|tag,** die Werktage → 23
werk|tags
das **Werk|zeug** → 18, 23

wert
der **Wert,** die Werte
wert|voll → 3
das **We|sen,** die Wesen
we|sent|lich
die **We|ser**
wes|halb
die **Wes|pe,** die Wespen
wes|sen → 8
die **Wes|te,** die Westen
der **Wes|ten**
der **Wes|tern,** die Western
West|fa|len – westfälisch
west|lich
wes|we|gen
die **Wet|te** – wetten → 9 ✶
wett|ei|fern, du wetteiferst ✶
wet|ten, du wettest → 9 ✶
das **Wet|ter** → 9
der **Wett|kampf,**
die Wettkämpfe → 9 ✶
wet|zen, du wetzt → 10

wi

der **Wicht,** die Wichte
wich|tig
der **Wi|ckel** – wickeln → 1
wi|ckeln, du wickelst → 1
wi|der (gegen)
wi|der|le|gen, du widerlegst
wi|der|lich
wi|der|ru|fen, du widerrufst

W

✶ Denke an den gemeinsamen Wortstamm. ✶

wi|der|spre|chen, du widersprichst, er widersprach
der **Wi|der|spruch,** die Widersprüche
der **Wi|der|stand,** die Widerstände → 22
der **Wi|der|wil|le** – widerwillig → 3
die **Wid|mung** – widmen
wie
wie|der (nochmals) → 11
wie|der|ho|len, du wiederholst
die **Wie|der|ho|lung** → 11
auf **Wie|der|se|hen** → 11
die **Wie|ge** – wiegen → 11
wie|gen, du wiegst, er wog → 11
wie|hern, es wiehert → 11
die **Wie|se,** die Wiesen → 11
das **Wie|sel,** die Wiesel → 11
wie|so → 11
wie viel, wie viele → 11
das **Wild**
wild – am wildesten → 22
das **Wild|kraut,** die Wildkräuter
die **Wild|nis**
der **Wil|le** – wollen → 3
wil|lig → 3
will|kom|men → 3, 4
will|kür|lich → 3
du **willst** – wollen → 3

wim|meln, es wimmelt → 4
wim|mern, du wimmerst → 4
der **Wim|pel,** die Wimpel
die **Wim|per,** die Wimpern
der **Wind,** die Winde → 22
die **Win|del,** die Windeln
sich **win|den,** du windest dich, er wand sich
win|dig
die **Wind|po|cken** → 1
der **Win|kel,** die Winkel ✱
win|ke|lig [wink|lig] ✱
win|ken, du winkst ✱
win|seln, du winselst
der **Win|ter**
win|ter|lich
der **Win|zer,** die Winzer
die **Win|ze|rin,** die Winzerinnen
win|zig
der **Wip|fel,** die Wipfel
die **Wip|pe** – wippen → 6
wip|pen, du wippst → 6
wir (wir alle)
der **Wir|bel,** die Wirbel
wir|beln, du wirbelst
die **Wir|bel|säu|le,** die Wirbelsäulen
es **wird** – werden
du **wirfst** – werfen
wir|ken, du wirkst ✱
wirk|lich ✱
die **Wirk|lich|keit** ✱

W

✱ Nach einem Mitlaut steht nur **k**, nie **ck**. ✱

wirk|sam ✶
die **Wir|kung**
wirr – verwirrt → 7
der **Wirr|warr** → 7
der **Wir|sing** (Wirsingkohl)
du **wirst** – werden
der **Wirt,** die Wirte (Gastwirt)
die **Wir|tin,** die Wirtinnen
die **Wirt|schaft** – wirtschaften
das **Wirts|haus,** die Wirtshäuser
wi|schen, du wischst
wis|pern, du wisperst
wis|sen, du weißt, er wusste → 8
wit|tern, es wittert → 9
die **Wit|te|rung** → 9
die **Wit|we,** die Witwen
der **Wit|wer,** die Witwer
der **Witz,** die Witze → 10
der **Witz|bold,** die Witzbolde → 10, 22
wit|zig → 10

wo

wo
wo|an|ders
die **Wo|che,** die Wochen
wo|chen|lang
wö|chent|lich
wo|durch
wo|für
er **wog** – wiegen → 23
die **Wo|ge,** die Wogen
wo|her
wo|hin
wohl → 14
wohl|ha|bend → 14
woh|nen, du wohnst → 14
wohn|lich → 14
die **Woh|nung,** die Wohnungen → 14
der **Wolf,** die Wölfe
die **Wol|ke,** die Wolken
wol|kig
die **Wol|le** → 3
wol|len, du willst → 3
die **Won|ne** → 5
das **Wort,** die Wörter
wört|lich
wo|rü|ber
wo|zu

wr

das **Wrack,** die Wracks → 1

wu

er **wuchs** – wachsen
die **Wucht**
wuch|tig
wüh|len, du wühlst
wund → 22
die **Wun|de,** die Wunden
das **Wun|der,** die Wunder
wun|der|bar ✶
sich **wun|dern,** du wunderst dich

✶ Wörter mit dem Wortbaustein **-sam** oder **-bar** sind Wiewörter (Adjektive). ✶

der **Wunsch,** die Wünsche
wün|schen, du wünschst
er **wur|de** – werden
der **Wurf,** die Würfe
der **Wür|fel** – würfeln
wür|feln, du würfelst
wür|gen, du würgst
der **Wurm,** die Würmer
wurm|sti|chig
die **Wurst,** die Würste
die **Wur|zel,** die Wurzeln ★
wür|zen, du würzt ★
wür|zig ★
er **wusch** – waschen
er **wuss|te** – wissen → 8
wüst
die **Wüs|te,** die Wüsten
die **Wut**
wü|ten, du wütest
wü|tend

X

x

die **X-Bei|ne**
x-mal
das **Xy|lo|phon** [Xylofon]

Y

y

die **Yacht** [Jacht], die Yachten
der [das] **Yo|ga** [Joga]
das **Yp|si|lon,** die Ypsilons

Z

za

die **Za|cke** [der **Za|cken**], die Zacken → 1
zag|haft
zäh – am zähesten
die **Zahl** – zählen → 12
zah|len, du zahlst → 12
zäh|len, du zählst → 19
der **Zäh|ler,** die Zähler → 19
die **Zah|lung** – zahlen → 12
das **Zahl|wort,** die Zahlwörter → 12
zahm → 12
zäh|men, du zähmst → 19
der **Zahn,** die Zähne → 12
die **Zahn|pas|ta,** die Zahnpasten → 12
die **Zan|ge,** die Zangen
der **Zank** – sich zanken

★ Nach einem Mitlaut steht nur **z**, nie **tz**. ★

sich **zan|ken,** du zankst dich
das **Zäpf|chen** → 19
der **Zap|fen,** die Zapfen
zap|pe|lig [zapp|lig] → 6
zap|peln, du zappelst → 6
zap|pen, du zappst → 6
zart
zärt|lich → 19
die **Zärt|lich|keit** → 19
der **Zau|be|rer,** die Zauberer
die **Zau|be|rin,** die Zauberinnen
zau|bern, du zauberst
der **Zaum** (das Zaumzeug)
der **Zaun,** die Zäune

ze

das **Zeb|ra,** die Zebras
der **Zeb|ra|strei|fen**
die **Ze|che,** die Zechen
die **Ze|cke,** die Zecken → 1
die **Ze|he** [der **Zeh**], die Zehen
zehn, zehnmal → 13
zeh|ren, du zehrst → 13
das **Zei|chen,** die Zeichen
zeich|nen, du zeichnest
die **Zeich|nung** – zeichnen
zei|gen, du zeigst
der **Zei|ger** – zeigen
die **Zei|le,** die Zeilen
die **Zeit,** die Zeiten
zei|tig
die **Zeit|schrift,** die Zeitschriften
die **Zei|tung,** die Zeitungen
der **Zeit|ver|treib**
zeit|wei|se
die **Zel|le,** die Zellen → 3
das **Zel|lo|phan**
das **Zelt,** die Zelte
zel|ten, du zeltest
der **Ze|ment**
ze|men|tie|ren, es ist zementiert → 11
zen|sie|ren, du zensierst → 11
die **Zen|sur,** die Zensuren
der **Zen|ti|me|ter,** die Zentimeter
der **Zent|ner,** die Zentner
zent|ral
die **Zent|ra|le,** die Zentralen
das **Zent|rum,** die Zentren
der **Zep|pe|lin,** die Zeppeline
er **zer|brach** – zerbrechen ✶
zer|bre|chen, du zerbrichst, er zerbrach ✶
zer|bro|chen – zerbrechen ✶
zer|drü|cken, du zerdrückst ✶
zer|fetzt → 10 ✶
zer|klei|nern, du zerkleinerst ✶
zer|knirscht ✶
zer|knül|len, du zerknüllst (Papier zerknüllen) → 3 ✶
zer|quet|schen, du zerquetschst ✶

✶ Denke an Zusammensetzungen mit dem Wortbaustein **zer-**. ✶

zer|rei|ßen, du zerreißt, er zerriss → 16 ★
zer|ren, du zerrst → 7
er **zer|riss** – zerreißen → 8 ★
zer|ris|sen – zerreißen → 8 ★
die **Zer|rung** – zerren → 7
zer|schmet|tern, du zerschmetterst → 9
zer|split|tern, es zersplittert → 9
zer|stö|ren, du zerstörst
zer|streut, zerstreuen → 18
zer|trüm|mern, du zertrümmerst → 4
zer|zaust – zerzausen
der **Zet|tel,** die Zettel → 9
das **Zeug** → 18, 23
der **Zeu|ge,** die Zeugen → 18
die **Zeu|gin,** die Zeuginnen → 18
das **Zeug|nis,** die Zeugnisse → 18

zi

im **Zick|zack** fahren → 1
die **Zie|ge,** die Ziegen → 11
der **Zie|gel,** die Ziegel → 11
zie|hen, du ziehst, er zog → 11
das **Ziel,** die Ziele → 11
zie|len, du zielst → 11
ziem|lich → 11
sich **zie|ren,** du zierst dich → 11
der **Zier|gar|ten,** die Ziergärten → 11
die **Zier|leis|te,** die Zierleisten → 11
zier|lich → 11
die **Zif|fer,** die Ziffern → 2
die **Zi|ga|ret|te,** die Zigaretten → 9
die **Zi|gar|re,** die Zigarren → 7
das **Zim|mer,** die Zimmer → 4
zim|per|lich
der **Zimt**
das **Zinn** → 5
der **Zins,** die Zinsen
der **Zip|fel,** die Zipfel
zir|ka [circa]
der **Zir|kel,** die Zirkel
der **Zir|kus** [Circus], die Zirkusse
zir|pen, es zirpt
zi|schen, du zischst
die **Zi|ther,** die Zithern
die **Zit|ro|ne,** die Zitronen
zit|te|rig [zitt|rig] → 9
zit|tern, du zitterst → 9
die **Zit|ze,** die Zitzen → 10
der **Zi|vil|dienst|leis|ten|de** (Zivi)

zo

der **Zoff** – Zoff haben
er **zog** – ziehen → 23
zö|gern, du zögerst
der **Zoll,** die Zölle → 3
der **Zöll|ner,** die Zöllner → 3
die **Zöll|ne|rin** → 3
die **Zo|ne,** die Zonen
der **Zoo,** die Zoos → 14

★ **-rr-** entsteht hier durch Zusammensetzungen mit **zer-**. ★

der **Zopf,** die Zöpfe
der **Zorn**
zor|nig

zu

zu, zu Ende, zu viel
zu|al|ler|erst, zuallerletzt
das **Zu|be|hör**
die **Zu|be|rei|tung** – zubereiten
die **Zucht** – züchten
züch|ten, du züchtest
zu|cken, du zuckst → 1
der **Zu|cker** – zuckern → 1
zu|ei|nan|der *
zu|erst
der **Zu|fall,** die Zufälle → 3
zu|fäl|lig → 19, 3
zu|frie|den → 11
die **Zu|frie|den|heit** → 11
der **Zug,** die Züge → 23
zu|ge|ben, du gibst zu, er gab zu
der **Zü|gel** – zügeln
zü|gig
zu|gleich
zu Hau|se [zuhause]
das **Zu|hau|se**
zu|hö|ren, du hörst zu
der **Zu|hö|rer,** die Zuhörer
die **Zu|hö|re|rin,** die Zuhörerinnen
die **Zu|kunft**
zu|künf|tig
zu|letzt → 10
zu|lie|be → 11
zum
zu|min|dest
zu|mu|ten, du mutest zu
zu|nächst
zün|deln, du zündelst
das **Zünd|holz,** die Zündhölzer
die **Zün|dung** – zünden
zünf|tig
die **Zun|ge** – züngeln
zün|geln, sie züngelt
zup|fen, du zupfst
zur
sich **zu|recht|fin|den,** du findest dich zurecht, er fand sich zurecht
zu|rück → 1
zu|sam|men → 4
der **Zu|sam|men|prall** – zusammenprallen → 4, 3
zu|sätz|lich → 19, 10
der **Zu|schau|er** – zuschauen
die **Zu|schau|e|rin**
zu|se|hends
der **Zu|stand,** die Zustände → 22
zu|stän|dig → 19
die **Zu|tat,** die Zutaten
sich **zu|trau|en,** du traust dir zu
zu|trau|lich

* Du kannst auch anders trennen: **zu-ein-an-der.** *

zu|ver|läs|sig → 19, 8
zu viel → 11
zu|vor
zu we|nig
zu|wi|der

zw

er **zwang** mich – zwingen
zwän|gen,
du zwängst dich → 19
zwan|zig
zwar
der **Zweck** → 1
zweck|los → 1
zweck|mä|ßig → 1, 19, 16
zwei, zweimal [zwei Mal]
zwei|er|lei
der **Zwei|fel** – zweifeln
zwei|fel|haft
zwei|fel|los
zwei|feln, du zweifelst
der **Zweig,** die Zweige → 23
zwei|tens
der **Zwerg,** die Zwerge → 23
die **Zwetsch|ge [Zwet|sche]**
zwi|cken, du zwickst → 1
der **Zwie|back** → 11, 1
die **Zwie|bel,** die Zwiebeln → 11
der **Zwil|ling,** die Zwillinge → 3
zwin|gen, du zwingst,
er zwang
der **Zwin|ger,** die Zwinger
zwin|kern, du zwinkerst
der **Zwirn,** die Zwirne
zwi|schen ✶
zwi|schen|durch
zwit|schern, er zwitschert
zwölf

zy

der **Zy|lin|der,** die Zylinder
Zy|pern – zypriotisch

✶ Denke an Zusammensetzungen mit dem Wortbaustein **zwischen-**. ✶

Partnerspiele zum Hören und Sprechen

Dein Partner sagt dir:	**Du sagst ihm:**
 ein Wort, zum Beispiel: gewinnen.	 - unter welchem Buchstaben man es findet. - wie man es trennen kann. - welche Selbstlaute du im Wort hörst.
 ein Wort, in dem jeder Laut zu hören ist, zum Beispiel: Minute.	 - wie der zweite, dritte … Buchstabe heißt. - wie viele Buchstaben das Wort hat.
 ein Wort aus dem Wörterverzeichnis, das ein Dehnungszeichen oder eine Mitlautverdopplung hat, zum Beispiel: fahren.	 - ob der betonte Selbstlaut kurz oder lang klingt.
 ein Wort, das ein b, p, g, k, d oder t zwischen zwei Selbstlauten enthält, zum Beispiel: Nebel.	 - welchen von diesen Lauten du hörst.
 ein Wort aus der Reimwörterliste, zum Beispiel: Bein.	 - passende Reimwörter.
 ein Wort, zum Beispiel: Ferien.	 - ein Wort, das mit dem letzten Buchstaben des gehörten Wortes beginnt, zum Beispiel: neugierig. - Jetzt ist wieder dein Partner dran.

Partnerspiele zum Schreiben

Dein Partner	Du

schreibt ein Wort auf: *Wind* *Wald*	● veränderst nur einen Buchstaben im Wort: *W**a**nd, W**i**ld*

sucht ein Wort mit Mitlautverdopplung und schreibt es so auf: *We .. er*	● schreibst das vollständige Wort auf: *Wetter*

schreibt eine Wörterschlange mit Großbuchstaben: BAUMPFLANZEGRÜNDÜNGEN	● schreibst die einzelnen Wörter auf. Achte dabei auf die Großschreibung der Namenwörter (Nomen): *der Baum, die Pflanze, grün, düngen*

schreibt Wörter mit mehreren Silben auf: *die Katze, zutraulich*	● schreibst die Wörter mit Trennungsstrichen auf: *die Kat-ze, zu-trau-lich*

schreibt Wörter auf, in denen andere versteckt sind: *Preis*	● schreibst möglichst viele Wörter auf: *der Reis, das Eis, das Ei*

schreibt zusammengesetzte Wörter auf: *Geburtstagsfeier* *zuckersüß*	● schreibst die einzelnen Wörter auf: *die Geburt, der Tag, die Feier* *der Zucker, süß*

schreibt drei Wörter aus der Reimwörterliste auf: *der Hahn, der Zahn, die Bahn*	● kennzeichnest gleiche Wortteile: *der H**ahn**, der Z**ahn**, die B**ahn***

Partnerspiele zum Nachdenken

Dein Partner nennt dir: | **Du sagst ihm:**

ein Namenwort (Nomen):
Baum

- wie der Begleiter heißt: *der Baum*
- wie die Mehrzahl heißt: *die Bäume*
- ein zusammengesetztes Namenwort (Nomen): *Weihnachtsbaum*

ein Tunwort (Verb) in der Grundform:
gehen

- wie die Du-Form heißt: *du gehst*
- wie die Vergangenheit heißt: *ich ging*

ein Wort, hinter dem ein verwandtes Wort steht: *der Quatsch*

- ein verwandtes Wort:
  quatschen

ein Wort aus der Liste der gleich klingenden Wörter (Seite 228):
die Ferse

- die beiden Bedeutungen:
  1. *die Ferse: Teil des Fußes*
  2. *die Verse: Verse dichten*

ein Wort mit Pfeil und Ziffer, ohne diese zu verraten: *der Keller*

- die Ziffer:
  3, das Wort enthält ll

ein Wort mit ä aus der Wortliste Seite 197: *die Glätte*

- das verwandte Wort:
  glatt

ein zusammengesetztes Tunwort (Verb):
weglaufen

- den Wortbaustein, der vor dem Tunwort (Verb) steht, und die Grundform des Tunwortes: *weg – laufen*

So kannst du dir Wörter einprägen

Für Wörter, die du dir merken willst, kannst du dir eine Rechtschreibkartei anlegen. Dazu brauchst du einen kleinen Kasten und Karteikarten.
Jedes Wort schreibst du auf eine eigene Karte. Wie du mit einem Karteikasten üben kannst, findest du auf Seite 179. Hier lernst du verschiedene Arten kennen, wie du die Karteikarten beschriften kannst.

1 Wörter merken

- Suche das Wort im Wörterbuch. Präge dir das Wort ein und schreibe es auf. Sprich das Wort deutlich.
- Auf welche Stelle achtest du besonders? Kennzeichne sie.
- Schreibe das Wort mehrmals. Kontrolliere, ob du jedes Mal richtig geschrieben hast.

der Strumpf

der Strumpf, die Strümpfe
der **St**rum**pf**
der Strumpf, der Strumpf,
DER STRUMPF

2 Wörter gliedern

- Gliedere das Wort mit Silbenbögen.
- Schreibe es mit Trennungsstrichen auf.
- Schreibe das Wort in Großbuchstaben. Welche Wörter sind im Wort enthalten?

wegfliegen

wegfliegen
weg - flie - gen
WEGFLIEGEN
der Weg, weg, die Fliege, fliegen,
die Fliegen, die Liege, liegen,
die Liegen

3 Wörter bilden

- Suche Reimwörter. Hilfen findest du auf den Seiten 215 bis 227.
- Suche verwandte Wörter.
- Finde neue Wörter. Ändere immer nur einen Buchstaben.

lachen

lachen – wachen
lachen – machen
auslachen, anlachen, lächerlich
lachen – die Lachen
lachen – lochen

4 Wörter verlängern

- Versuche, das Wort zu verlängern.
- Bilde zusammengesetzte Wörter.
- Bilde eine Wortreihe. Kennzeichne den wichtigen Buchstaben. Kontrolliere.

Du kannst die Wörter auch nach der Wortart auf die Karteikarte schreiben.

5 Ist dein Wort ein Namenwort (Nomen)?

- Schreibe das Wort mit Begleiter (Artikel) auf.
- Bilde zur Einzahl die Mehrzahl.
- Bilde Zusammensetzungen.
- Vielleicht gibt es eine Verkleinerungsform. Schreibe sie auf.

6 Ist dein Wort ein Tunwort (Verb)?

- Schreibe es in der Ich-Form, Wir-Form, Sie-Form und Du-Form auf.
- Schreibe es in verschiedenen Zeitformen auf.
- Mit welchen Wörtern kannst du das Wort zusammensetzen?

7 Ist dein Wort ein Wiewort (Adjektiv)?

- Schreibe es mit einem passenden Namenwort (Nomen) auf.
- Bilde mit dem Wort zusammengesetzte Wörter.
- Gibt es zu deinem Wort das Gegenteil?
- Wie heißen die Vergleichsformen?

das Bild

das Bild, die Bilder
der Bilderrahmen, abbilden
das Bil**d** – die Bil**d**er, das Schil**d** – die Schil**d**er, der Hel**d** – die Hel**d**en

Holz

das Holz
das Holz, die Hölzer
das Streichholz, der Holzstoß,
der Holzstuhl
das Holz – das Hölzchen

lesen

ich lese, wir lesen, sie liest,
du liest
Heute lese ich. Gestern las ich.
Eben habe ich noch gelesen.
auflesen, vorlesen, auslesen
das Lesebuch, die Leseecke

schön

der schöne Tag
Der Tag ist schön.
wunderschön, die Schönheit,
verschönern
schön – hässlich
schön, schöner, am schönsten

Wörtertraining mit der Rechtschreibkartei

Wie du mit einem Karteikasten üben kannst, findest du hier. Dein Karteikasten braucht sechs Fächer. Alle beschrifteten Karten steckst du in das erste Fach deines Karteikastens. Anregungen, wie du die Karten beschriften kannst, stehen auf den Seiten 177 und 178.

So trainierst du:

1 Nimm eine Karte aus dem ersten Fach und lies das Wort. Sprich dabei besonders deutlich.

2 Schau dir die Stelle im Wort an, auf die du beim Schreiben besonders achten willst.

3 Drehe die Wortkarte um. Schreibe das Wort mit dem Finger auf den Tisch und sprich dabei leise mit.

4 Kontrolliere mit der Wortkarte, ob du das Wort richtig geschrieben hast.

5 Schreibe das Wort nun auswendig auf.

6 Kontrolliere noch einmal mit der Wortkarte. Hast du das Wort richtig geschrieben, kommt die Karte ins zweite Fach. Ist das Wort falsch, wird es verbessert. Die Karte bleibt im ersten Fach.

7 Ein paar Tage später übst du das Wort noch einmal auf die gleiche Weise.

8 Wörter im zweiten Fach schaust du vor dem Schreiben nicht mehr an, sondern lässt sie dir diktieren. Die geschriebenen Wörter werden von dir und deinem Partner kontrolliert. Ist das Wort richtig, kommt die Karte in das nächste Fach. Ist das Wort falsch, bleibt die Karte in ihrem Fach.

9 Ziel ist es, alle Wortkarten in das letzte Fach zu bringen.
Die Spielregeln kennst du jetzt.
Im letzten Fach ordnest du die Wörter nach dem ABC.

So wirst du sicher im richtigen Schreiben

1 Dein Wort enthält **ck**.
Schreibe das Wort auf. Fahre **ck** gelb nach.

2 Sprich das Wort deutlich.
Achte auf den kurz gesprochenen Selbstlaut.

3 Setze unter den kurz gesprochenen Selbstlaut vor dem **ck** einen roten Punkt.

4 Lies die Wortlisten.
Beachte den kurz gesprochenen Selbstlaut vor dem **ck**.
Sprich deutlich.

	backen	das	Päckchen
der	Bäcker		packen
der	Geschmack		verpacken
die	Jacke	die	Verpackung

	aufwecken		erschrecken
die	Decke	die	Hecke
der	Dreck		schmecken
	dreckig	der	Schreck
die	Ecke		schrecklich
	eckig	der	Wecker
	entdecken		zudecken

der	Blick	die	Entwicklung
	blicken		erblicken
	dick		flicken
	entwickeln		schicken

der	Block	der	Rock
der	Bock	der	Stock
	hocken		trocken
der	Hocker		

die	Brücke	die	Lücke
der	Druck	der	Rücken
	drücken	das	Stück
das	Glück	der	Zucker
	glücklich		zurück

5 Welche Wörter reimen sich?
Schreibe die Reimpaare auf.
Fünf Wörter bleiben übrig.

der Rücken der Block fliegen
backen lügen schmecken
verpacken blicken legen
erschrecken drücken er flog
der Rock der Haken schicken

6 Wähle eine Wortliste aus.
Schreibe sie auf. Kennzeichne gleiche Wortteile.
Schreibe so: *der Rock, trocken*

7 Trenne alle zweisilbigen Wörter der Wortliste.
Schreibe so: *backen, ba-cken*

1 Dein Wort enthält **ff**.
Schreibe das Wort auf. Fahre **ff** gelb nach.

2 Sprich das Wort deutlich.
Achte auf den kurz gesprochenen Selbstlaut.

3 Setze unter den kurz gesprochenen Selbstlaut vor dem **ff** einen roten Punkt.

4 Lies die Wortlisten.
Beachte den kurz gesprochenen Selbstlaut vor dem **ff**.
Sprich deutlich.

der Affe	der Pfeffer
der Griff	das Schiff
die Hoffnung	der Stoff
der Koffer	der Treffer
der Löffel	die Ziffer

geschafft	schaffen
getroffen	treffen
hoffen	er trifft

hoffentlich	offen

5 Hier kannst du Silben zu Wörtern zusammensetzen.
Schreibe die Wörter auf und kennzeichne **off**.

Hoff	Kar	hof	ge	lich
hof	tof	trof	nung	fer
fent	fen	fen	fel	Kof

6 Suche passende Wörter aus den Wortlisten. Schreibe die vollständigen Sätze auf.

Die Tür steht .

Die Kinder sich auf dem Spielplatz.

regnet es am Wochenende nicht.

Mit kann man würzen.

Auf dem Fluss fahren .

Im Zoo kann man sehen.

Wir packen unsere .

Mutter näht aus blauem ein Kleid.

1 Dein Wort enthält **ll**. Schreibe das Wort auf. Fahre **ll** gelb nach.

2 Sprich das Wort deutlich. Achte auf den kurz gesprochenen Selbstlaut.

3 Setze unter den kurz gesprochenen Selbstlaut vor dem **ll** einen roten Punkt.

4 Lies die Wortlisten. Beachte den kurz gesprochenen Selbstlaut vor dem **ll**. Sprich deutlich.

der Ball	der Müll
die Brille	die Quelle
der Füller	der Schall
die Herstellung	der Stall
der Keller	der Teller
der Knall	

bellen	rollen
fallen	er rollt
füllen	sollen
gefallen	stellen
herstellen	er will
knallen	wollen

billig	toll
hell	voll
schnell	vollständig
still	willig

5 Suche zu einigen Wörtern aus den Wortlisten Reimwörter.

der Ball, der Schall,
der Wall ...
fallen, knallen ...

Schreibe sie auf.

6 Suche passende Wörter aus den Wortlisten.
Schreibe die vollständigen Sätze auf.

Zum Lesen braucht Vater eine .
Die Kinder spielen mit dem .
Jeder Bach hat eine .
Der Hund .
Hans holt im Kartoffeln.
Der Ball auf die Straße.
Im Herbst die Blätter von den Bäumen.

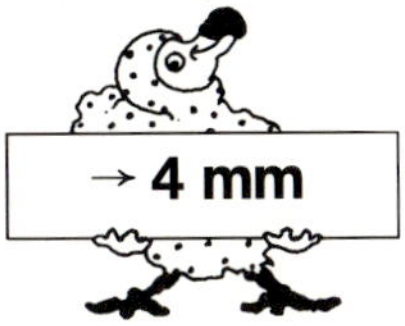

1 Dein Wort enthält **mm**. Schreibe das Wort auf. Fahre **mm** gelb nach.

2 Sprich das Wort deutlich. Achte auf den kurz gesprochenen Selbstlaut.

3 Setze unter den kurz gesprochenen Selbstlaut vor dem **mm** einen roten Punkt.

4 Lies die Wortlisten. Beachte den kurz gesprochenen Selbstlaut vor dem **mm**. Sprich deutlich.

der	Kamm	die	Sammlung
	kämmen	der	Schwamm
das	Programm	er	schwamm
	sammeln	der	Stamm

	bestimmt		schwimmen
der	Himmel	die	Stimme
er	nimmt		stimmen
	schlimm	das	Zimmer

	gekommen		geschwommen
	kommen	der	Sommer

	brummen	der	Gummi
	dumm	die	Nummer
die	Dummheit		nummerieren

5 Schreibe alle einsilbigen Wörter aus den Wortlisten untereinander auf. Schreibe jeweils ein verlängertes Wort daneben.

Schreibe so: *dumm – dümmer*

6 Suche passende Wörter aus den Wortlisten. Schreibe die vollständigen Sätze auf.

Der Baum hat einen dicken ___ .
Im ___ haben wir lange Ferien.
Ich wasche und ___ mich.
Mit dem ___ putze ich die Tafel.
Im Fernsehen gibt es ein ___ für Kinder.
Der ___ ist fast wolkenlos.
Wir tapezieren mein ___ neu.
Seit letzter Woche kann ich ___ .
Kannst du heute zu mir ___ ?
Autoreifen sind aus ___ .

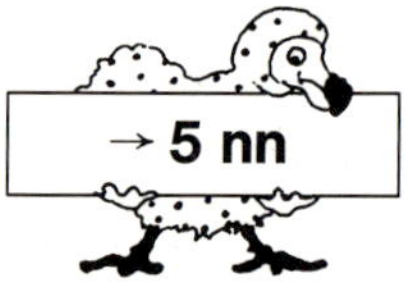

→ 5 nn

1 Dein Wort enthält **nn**. Schreibe das Wort auf. Fahre **nn** gelb nach.

2 Sprich das Wort deutlich. Achte auf den kurz gesprochenen Selbstlaut.

3 Setze unter den kurz gesprochenen Selbstlaut vor dem **nn** einen roten Punkt.

4 Lies die Wortlisten. Beachte den kurz gesprochenen Selbstlaut vor dem **nn**. Sprich deutlich.

er	begann	er	kannte
er	brannte	der	Mann
er	gewann	er	rannte
er	kann	die	Tanne
die	Kanne		verbrannt

	brennen		trennen
	kennen		verbrennen
	nennen	die	Verbrennung
	rennen		

der	Beginn		gewinnen
	beginnen	der	Sinn
	besinnen		sinnlos
der	Gewinn		

	begonnen		können
der	Donner	die	Sonne
	donnern		sonnig
der	Donnerstag	der	Sonntag
	gewonnen	die	Tonne

dünn

5 Schreibe alle Tunwörter (Verben) aus den Wortlisten so auf:

beginnen,

du beginnst, er begann

6 Suche passende Wörter aus den Wortlisten. Schreibe die vollständigen Sätze auf.

Nach dem Blitz ___ es.

Das Kind ___ über die Straße.

Morgen ___ der Unterricht erst um 8.45 Uhr.

Peter hat einen Preis ___ .

Hoffentlich scheint morgen die ___ .

Plötzlich ___ das ganze Haus.

Karin ___ gut Flöte spielen.

___ dir nicht die Finger!

Ich ___ viele Pilze.

1 Dein Wort enthält **pp**. Schreibe das Wort auf. Fahre **pp** gelb nach.

2 Sprich das Wort deutlich. Achte auf den kurz gesprochenen Selbstlaut.

3 Setze unter den kurz gesprochenen Selbstlaut vor dem **pp** einen roten Punkt.

4 Lies die Wortlisten. Beachte den kurz gesprochenen Selbstlaut vor dem **pp**. Sprich deutlich.

die Gruppe	die Puppe
der Lappen	die Suppe
die Lippe	die Treppe
die Mappe	

kippen	verdoppeln
klappern	wippen
plappern	zappeln
schleppen	

klapprig	zappelig

5 Lege eine Tabelle nach folgendem Muster an. Ordne die Wörter richtig ein.

app	epp	ipp	opp	upp

6 Trenne die Wörter.
Schreibe so: *Sup-pe*

7 Suche passende Wörter aus den Wortlisten. Schreibe die vollständigen Sätze auf.

Die  schmeckt gut.
Wir arbeiten manchmal in der  .
Ich hefte das Blatt in die  .
Die Fische  im Netz.
Vater  die Leiter in den Keller.
Die Meise  mit dem Schwanz.
Mein Fahrrad ist alt und  .
Bei Regenwetter werden manche Kinder  .

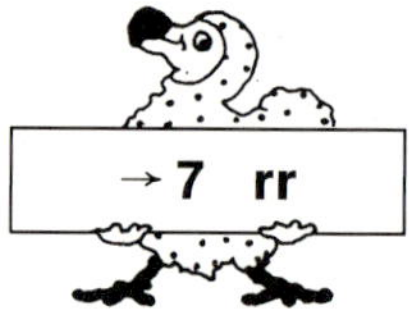

1 Dein Wort enthält **rr**. Schreibe das Wort auf. Fahre **rr** gelb nach.

2 Sprich das Wort deutlich. Achte auf den kurz gesprochenen Selbstlaut.

3 Setze unter den kurz gesprochenen Selbstlaut vor dem **rr** einen roten Punkt.

4 Lies die Wortlisten. Beachte den kurz gesprochenen Selbstlaut vor dem **rr**. Sprich deutlich.

	knarren		scharren
der	Narr		

der	Herr		zerren
	herrlich		

das	Geschirr	sich	irren
	klirren		

	knurren		schnurren
	murren		

5 Schreibe die Tunwörter (Verben) in der Es-Form so auf:

es klirrt, es klirrte,
es klirr-te

Nur der letzte Mitlaut kommt zur nächsten Silbe.

6 Suche passende Wörter aus den Wortlisten. Schreibe die vollständigen Sätze auf.

Der Hund an der Leine.
Mir der Magen vor Hunger.
Die Katze liegt auf dem Sofa und .
Manche Kinder über die Hausaufgaben.
Im Fasching ziehen die durch die Straßen.
Ungeduldig die Pferde mit den Hufen.
Peter trocknet das ab.
Jeder kann sich einmal .
Heute hat Müller angerufen.

1 Dein Wort enthält **ss**. Schreibe das Wort auf. Fahre **ss** gelb nach.

2 Sprich das Wort deutlich. Achte auf den kurz gesprochenen Selbstlaut.

3 Setze unter den kurz gesprochenen Selbstlaut vor dem **ss** einen roten Punkt.

4 Lies die Wortlisten. Beachte den kurz gesprochenen Selbstlaut vor dem **ss**. Sprich deutlich.

das	Fass	die	Nässe
der	Fluss	die	Nuss
die	Flüssigkeit	der	Pass
das	Interesse	der	Riss
die	Klasse	das	Schloss
der	Kompass	der	Schlüssel
der	Kuss	die	Tasse
das	Messer	das	Wasser

er	biss		messen
	essen		müssen
	fassen		passen
er	floss	er	riss
	fressen	er	schloss
er	goss		vergessen
	lassen		wissen

besser	interessant
bissig	nass
essbar	rissig
flüssig	vergesslich

5 Suche die einsilbigen Wörter. Schreibe so:

der Fluss, die Flüsse

6 Schreibe die Tunwörter (Verben) so:

essen, er aß,
er hat gegessen

7 Suche passende Wörter aus den Wortlisten. Schreibe die vollständigen Sätze auf.

Mit dem kann man schneiden.
Ich ein Brötchen.
Wir knacken .
Vorsicht, der Hund ist .
Der Schlüssel steckt im .
Tina hat ihr Heft .
Das möchte ich genau .
Diese Pilze sind . Nach dem Regen sind die Straßen .

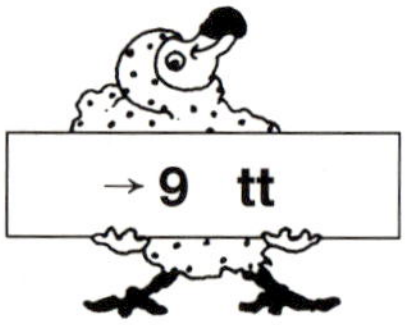

1 Dein Wort enthält **tt** .
Schreibe das Wort auf. Fahre **tt** gelb nach.

2 Sprich das Wort deutlich.
Achte auf den kurz gesprochenen Selbstlaut.

3 Setze unter den kurz gesprochenen Selbstlaut vor dem **tt** einen roten Punkt.

4 Lies die Wortlisten. Beachte den kurz gesprochenen Selbstlaut vor dem **tt**. Sprich deutlich.

das Bett	die Mitte
das Blatt	der Mittwoch
die Diskette	die Mutter
das Fett	der Schatten
das Gewitter	der Schmetterling
die Glätte	die Spagetti
die Hütte	das Wetter
der Mittag	

bitten	schütten
klettern	wetten
rütteln	zittern
schütteln	

bitter	satt
fett	schattig
glatt	

5 Lege eine Tabelle nach folgendem Muster an.
Ordne die Wörter richtig ein.

att	ett	itt	ott	utt

6 Suche passende Wörter aus den Wortlisten. Schreibe die vollständigen Sätze auf.

Im Herbst werden die bunt.
Auf der Blüte sitzt ein schöner .
In diesem Sommer war herrliches .
Diese Medizin schmeckt .
Bei großer Hitze suche ich mir einen Platz.
Oma war der Braten zu .
Wir Vater um Erlaubnis.
Der Wind an den Zweigen.
Wir vor Kälte.

1 Dein Wort enthält **tz**. Schreibe das Wort auf. Fahre **tz** gelb nach.

2 Sprich das Wort deutlich. Achte auf den kurz gesprochenen Selbstlaut.

3 Setze unter den kurz gesprochenen Selbstlaut vor dem **tz** einen roten Punkt.

4 Lies die Wortlisten. Beachte den kurz gesprochenen Selbstlaut vor dem **tz**. Sprich deutlich.

der Blitz	der Satz
das Gesetz	der Schmutz
die Hetze	die Spitze
die Hitze	die Spritze
die Katze	die Verletzung
der Platz	die Verschmutzung

blitzen	setzen
kratzen	sitzen
nützen	spitzen
platzen	spritzen
schützen	verletzen
schwitzen	verschmutzen

besetzt	schmutzig
kitzlig	spitz
letzte	trotzig
nützlich	witzig

jetzt	trotzdem
plötzlich	zuletzt

5 Zu vielen Wörtern findest du in den Wortlisten verwandte Wörter. Schreibe so:

der Blitz – blitzen

6 Trenne alle zweisilbigen Wörter der Wortlisten. Schreibe so:

die Spritze, die Sprit-ze

7 Schreibe die Tunwörter (Verben) so:

es spritzt, es spritzte,
es spritz-te

Der letzte Mitlaut kommt zur nächsten Silbe.

8 Suche passende Wörter aus den Wortlisten. Schreibe die vollständigen Sätze auf.

Vater ___ den Rasen. Meine Schuhe sind ___. Ein greller ___ zuckte am Himmel. ___ fing es zu regnen an.
Meine Schwester ist sehr ___.
Ameisen sind ___ Tiere.
Beim Fußballspielen ___ ich schnell.
Ich könnte vor Wut ___.

1 Dein Wort enthält ein lang gesprochenes **i**. Es wird mit **ie** geschrieben. Schreibe das Wort auf.

2 Sprich das Wort deutlich. Unterstreiche **ie** grün.

3 Lies die Wortlisten. Beachte das lang gesprochene **i**. Sprich deutlich.

das	Beispiel	die	Schwierigkeit
die	Biene	der	Spaziergang
der	Dienstag	der	Spiegel
die	Fliege	der	Stiel
der	Frieden	die	Tiefe
die	Kiefer	das	Tier
der	Krieg	die	Wiese
das	Lied	das	Ziel
die	Miete	die	Zwiebel

biegen	riechen
fliegen	schieben
fließen	schließen
frieren	spazieren
gießen	spiegeln
informieren	spielen
kriechen	verbieten
lieben	verlieren
liegen	vertiefen
nummerieren	wiegen

friedlich	schwierig
lieb	tief
schief	

niemals	siebzig
niemand	vielleicht
schließlich	vier
sieben	vierzig

4 Setze folgende Tunwörter (Verben) in die Vergangenheitsform:

fallen, schreiben, rufen, scheinen, schlafen, raten, schreien, steigen, treiben, schweigen, stoßen

Schreibe so: *fallen, er fiel*

5 Achtung! Ausnahme!
Wenige Wörter mit lang gesprochenem **i** haben kein Dehnungszeichen,
z. B.: die Bleistiftmine, der Kamin, das Vitamin, . . .
Auch Wörter mit der Endung **-ine** werden ohne Dehnungszeichen geschrieben:
die Apfelsine, die Maschine, . . .
Stelle weitere Wörter zusammen und präge sie dir ein.

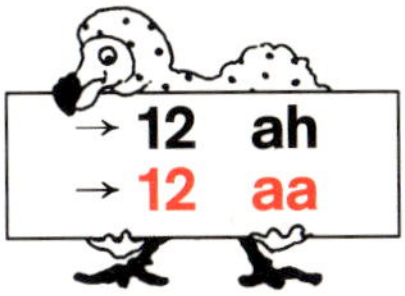

1 Dein Wort enthält ein lang gesprochenes **a**. Es wird mit einem Dehnungszeichen geschrieben. Schreibe das Wort auf und unterstreiche das lang gesprochene **a** grün.

2 Sprich das Wort deutlich. Achte auf das gedehnte **a**.

3 Lies die Wortlisten. Wähle aus einer Wortliste fünf Wörter aus. Präge sie dir ein.

	ahnen	die	Nahrung
die	Bahn	die	Naht
	bezahlen	die	Vorfahrt
der	Draht	die	Wahl
die	Fahne	die	Zahl
	fahren		zahlen
die	Gefahr	der	Zahn
das	Jahr		

	ernähren		ungefähr
	erzählen		wählen
die	Erzählung		während
	gefährlich		zählen

der	Aal	der	Saal
das	Ehepaar	die	Saat
das	Haar	der	Staat
	haarig	die	Waage

4 Suche passende Wörter aus den Wortlisten. Schreibe die vollständigen Sätze auf.

Ich kämme meine ____ .

Neulich verlor ich einen ____ .

Die ____ zeigt das Gewicht an.

In den großen ____ passen viele Leute.

Auf der Straße lauern viele ____ .

Jedes ____ werden wir älter.

Am liebsten ____ wir in den Urlaub.

Das Eichhörnchen versteckt seine ____ .

Wir haben ____ 30 Minuten Zeit.

Diese Kreuzung ist sehr ____ .

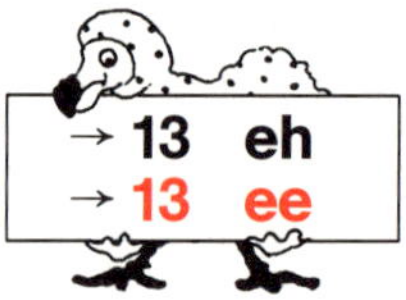

1 Dein Wort enthält ein lang gesprochenes **e**. Es wird mit einem Dehnungszeichen geschrieben. Schreibe das Wort auf und unterstreiche das lang gesprochene **e** grün.

2 Sprich das Wort deutlich. Achte auf das gedehnte **e**.

3 Lies die Wortlisten. Wähle aus einer Wortliste fünf Wörter aus. Präge sie dir ein.

	ehrlich		nehmen
der	Fehler		umkehren
	fehlerfrei		verehren
der	Lehrer	der	Verkehr
die	Lehrerin		zehn
	mehr		

die	Beere	das	Meer
das	Beet	der	Schnee
die	Fee	der	See
der	Kaffee	der	Tee
	leer		

4 Suche passende Wörter aus den Wortlisten. Schreibe die vollständigen Sätze auf.

Auf der Autobahn ist viel ___ .
Im Winter freuen sich die Kinder auf den ___ .
___ Finder werden belohnt.
Viele Vögel ernähren sich von ___ .
Am liebsten bade ich im ___ .
Manchmal fällt mir in der Schule nichts ___ ein.
Zum Frühstück trinke ich gerne ___ .
Ich bringe die ___ Flaschen zurück.

1 Dein Wort enthält ein lang gesprochenes **o**. Es wird mit einem Dehnungszeichen geschrieben. Schreibe das Wort auf und unterstreiche das lang gesprochene **o** grün.

2 Sprich das Wort deutlich. Achte auf das gedehnte **o**.

3 Lies die Wortlisten. Wähle fünf Wörter aus. Präge sie dir ein.

	belohnen		ohne
	bohren	das	Ohr
	hohl	der	Sohn
der	Lohn		wohnen

	fröhlich	die	Höhle
die	Fröhlichkeit		

das	Boot	das	Moos
	doof	der	Zoo
das	Moor		

4 Suche passende Wörter aus den Wortlisten. Schreibe die vollständigen Sätze auf.

Wir ___ in einem Hochhaus.
Mutter ___ ein Loch in die Wand.
Mit dem ___ fahren wir auf den See hinaus.
Viele Vögel polstern ihr Nest mit ___ aus.
Mein Großvater ist stolz auf seinen ___ .
Im ___ beobachten wir die Tiere.
Oft mache ich meine Hausaufgaben ___ Fehler.
Der Dachs schläft in seiner ___ .

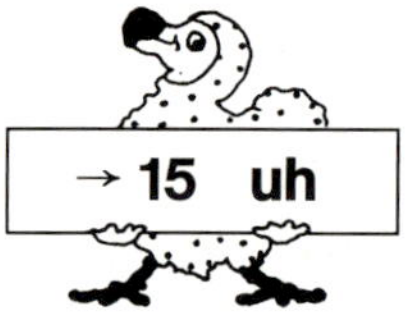

1 Dein Wort enthält ein lang gesprochenes **u**. Es wird mit einem Dehnungszeichen geschrieben. Schreibe das Wort auf und unterstreiche das lang gesprochene **u** grün.

2 Sprich das Wort deutlich. Achte auf das gedehnte **u**.

3 Lies die Wortlisten. Wähle aus einer Wortliste fünf Wörter aus. Präge sie dir ein.

die	Armbanduhr	die	Müllabfuhr
das	Brathuhn	der	Stuhl
ich	fuhr	die	Stuhllehne
das	Huhn	die	Uhr
der	Kinderstuhl	die	Uhrzeit

	berühmt	der	Hühnerstall
	fühlen		kühl
	führen		kühlen
die	Führung		rühren
das	Gefühl		

4 In den Wortlisten findest du verwandte Wörter. Schreibe so:
die Uhr, die Uhrzeit,
die Armbanduhr

5 Suche passende Wörter aus den Wortlisten. Schreibe die vollständigen Sätze auf.

Jeden Morgen beginnt um 8 der Unterricht.

Ich esse gerne mit Reis.

Letzte Woche bekam Sabine eine geschenkt.

Gestern ich mit dem Fahrrad zu meinem Freund.

Ohne die würden wir im Abfall ersticken.

Opa sitzt gerne auf einem bequemen .

Ich sammle Autogramme von Sportlern.

Vor Kälte konnte ich meine Finger kaum .

1 Dein Wort enthält einen lang gesprochenen Selbstlaut. Danach folgt **ß**. Schreibe das Wort auf. Fahre **ß** gelb nach.

2 Sprich das Wort deutlich. Unterstreiche den lang gesprochenen Laut grün.

3 Lies die Wortlisten. Sprich den Laut vor dem **ß** deutlich.

er	aß	das	Maß
	bloß	er	maß
	fließen		schließen
er	fraß		schließlich
der	Fuß	der	Stoß
	gießen		stoßen
	groß	die	Straße
er	ließ	er	vergaß

die	Füße		süß
	größer	die	Süßigkeit
	grüßen		

	außen		heiß
	beißen		heißen
	draußen		reißen
	dreißig	der	Strauß
der	Fleiß		weiß
	fleißig	ich	weiß

ß steht nur nach **langen** Selbstlauten.

4 Setze die Namenwörter (Nomen) der Wortlisten in die Mehrzahl.
Schreibe so: *der Fuß, die Füße*

5 Schreibe die Tunwörter (Verben) der Wortlisten so:
er aß, sie aßen
fließen, er fließt

6 Suche passende Wörter aus den Wortlisten. Schreibe die vollständigen Sätze auf.

___ können den Zähnen schaden.
Weil es so laut ist, ___ ich das Fenster.
Heute ist es sehr ___ . Auf dem Thermometer lese ich ___ Grad ab.
Wie ___ deine Eltern mit Vornamen?
Im Sommer musst du die Blumen oft ___ .
Warum ___ Hunde manchmal?
Heute Mittag ___ er seinen Teller schnell leer.

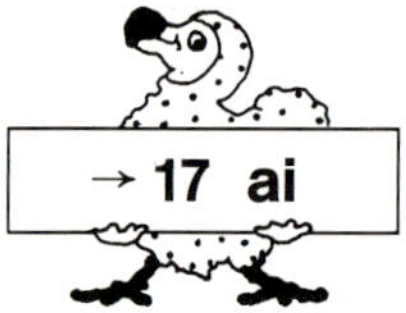

→ 17 ai

1 Dein Wort enthält **ai**. Schreibe das Wort auf. Fahre **ai** gelb nach.

2 Bilde Wortpaare. Schreibe so:

der Hai, die Haifischflosse

der	Hai	der	Brotlaib
der	Kai	der	Froschlaich
der	Laib	die	Gitarrensaite
der	Laich	die	Haifischflosse
der	Laie	die	Kaimauer
der	Mai	der	Laienspieler
der	Mais	der	Maibaum
die	Saite	der	Maiskolben

3 Suche passende Wörter aus der Wortliste. Schreibe die vollständigen Sätze auf.

Ich kaufe einen ___ Schwarzbrot.

Die Schiffe liegen am ___ .

Gegrillte ___ mag ich besonders gern.

Meine Gitarre braucht eine neue ___ .

Aus ___ schlüpfen Kaulquappen.

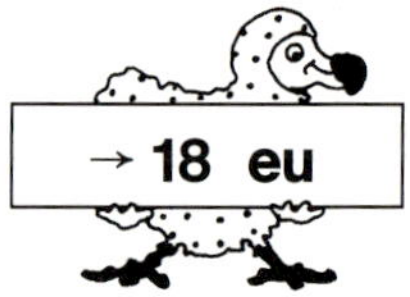

→ 18 eu

1 Dein Wort enthält **eu**. Schreibe das Wort auf. Fahre **eu** gelb nach.

2 Welche Wörter sind miteinander verwandt? Schreibe sie so auf:

andeuten – deutlich

	Deutschland	der	Freund
die	Eule	die	Freundin
der	Euro	das	Kreuz
	Europa	die	Kreuzung
die	Feuchtigkeit	der	Leuchter
das	Feuer	die	Leute
das	Flugzeug	das	Steuer
die	Freude	das	Zeugnis

	andeuten	kreuzen
	betreuen	leuchten
sich	freuen	steuern

deutlich	neu
deutsch	neun
feucht	neunzig
freundlich	teuer
heute	treu

3 Schreibe mindestens sechs Wörter aus den Wortlisten ab. Fahre **eu** gelb nach.

> Es gibt nicht viele Wörter mit **eu**.
> Du kannst sie dir merken.

4 Suche passende Wörter aus den Wortlisten. Schreibe die vollständigen Sätze auf.

Alte Keller haben oft  Wände.
 können lautlos durch die Luft gleiten.
Der Verkehr an  ist oft mit Ampeln geregelt.
Nicht alle Kinder  sich auf das  .
 will ich mich mit meinem  treffen.
Für ein Kegelspiel braucht man  Kegel.
An Ostern brennt vor der Kirche ein riesiges  .

1 Dein Wort enthält **ä**. Schreibe das Wort auf. Fahre **ä** gelb nach.

2 Suche zu deinem Wort mit **ä** ein verwandtes Wort mit **a**.

> der Bär
> gähnen
> der Käfer
> der Käfig
> lärmen
> das Mädchen
> das Märchen

3 Suche zu mindestens sechs Wörtern ein verwandtes Wort mit **a**.
Schreibe so: *ändern – anders*

	älter	die	Nässe
	ändern		quälen
	ärgern	das	Rätsel
der	Bäcker	die	Schärfe
	drängen	er	schläft
	erklären	er	schlägt
	erzählen	der	Stängel
die	Glätte	die	Stärke
	hängen		stärken
die	Kälte		wählen
	kräftig	die	Wärme
er	lässt		zählen

4 Suche zu mindestens sechs Wörtern ein verwandtes Wort mit **a**. Schreibe so:

die Äpfel, der Apfel

die	Äpfel	die	Pässe
die	Ärzte	die	Plätze
die	Äste	die	Säfte
die	Bälle	die	Sätze
die	Blätter	die	Städte
die	Gräser	die	Stämme
die	Hände	die	Strände
die	Männer	die	Väter
die	Nächte	die	Zähne

→ 20 äu

1 Dein Wort enthält **äu**. Schreibe das Wort auf. Fahre **äu** gelb nach.

2 Suche verwandte Wörter mit **au**. Schreibe die Wortpaare so auf:

die Bäuche – der Bauch

die	Bäuche	die	Häute
die	Bäume	die	Kräuter
das	Gebäude	die	Sträucher
die	Häuser	die	Sträuße

er	läuft	er	säuft
	aufräumen		träumen

häufig

3 Welche Wörter sind miteinander verwandt? Schreibe sie auf.

aufschäumen sauber der Bau
säubern bauen der Schaum
das Gebäude schäumen gesäubert
der Verkäufer geschäumt
die Verkäuferin kaufen

> Zu den Wörtern mit **äu** gibt es oft verwandte Wörter mit **au**.

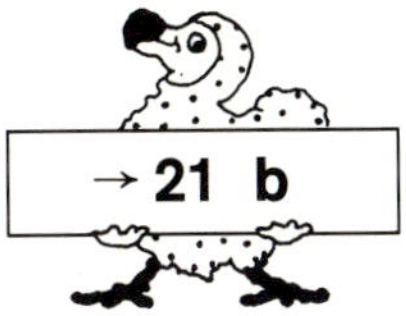

1 Dein Wort hat am Ende ein **b**. Schreibe das Wort auf. Fahre **b** farbig nach.

b am Wortende klingt wie **p**. Verlängere das Wort, dann kannst du **b** deutlich hören.

2 Verlängere die folgenden Wörter, damit du **b** deutlich hören kannst. Schreibe so:

der Dieb, die Diebe
gelb, ein gelbes Kleid

der Dieb
gelb
das Laub
lieb
das Sieb
der Stab
der Urlaub

Laub kann ich aber nicht verlängern!

3 Auch bei diesen Wörtern klingt **b** wie **p**. Bilde die Grundform, damit du **b** deutlich hörst. Schreibe so:

er gibt – geben

er gibt	er schiebt
er lebt	er schrieb
er liebt	es staubt
er lobt	er tobt

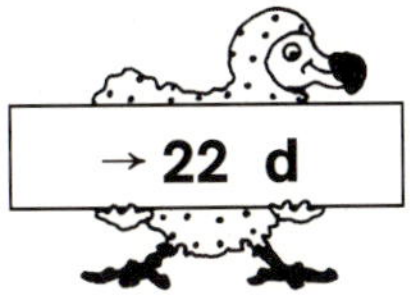

1 Dein Wort hat am Ende ein **d**. Schreibe das Wort auf. Fahre **d** farbig nach.

d am Wortende klingt wie **t**. Verlängere das Wort, dann kannst du **d** deutlich hören.

2 Verlängere die folgenden Wörter, damit du **d** deutlich hören kannst. Schreibe so:

blind, ein blindes Kätzchen

Bei Namenwörtern (Nomen) ist es einfach. Ich bilde die Mehrzahl.

der Abend	das Kind
das Bild	das Kleid
der Brand	das Land
blind	das Lied
das Feld	der Mund
fremd	niemand
der Freund	das Pferd
das Geld	der Strand
gesund	tausend
die Hand	der Wald
das Hemd	wild
der Hund	der Wind
jemand	

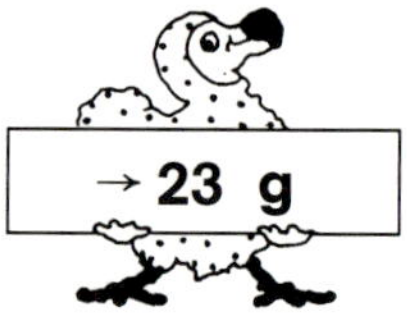

1 Dein Wort hat am Ende ein **g**. Schreibe das Wort auf. Fahre **g** farbig nach.

g am Wortende klingt wie **k**. Verlängere das Wort, dann kannst du **g** deutlich hören.

2 Verlängere die folgenden Wörter, damit du **g** deutlich hören kannst. Schreibe die Wortpaare so auf:

der Tag, die Tage

der Flug	der Sieg
der Käfig	der Tag
der Krieg	der Weg
der Schlag	der Zweig

3 Auch bei diesen Wörtern klingt **g** wie **k**. Bilde die Grundform, damit du **g** deutlich hörst. Schreibe so:

er fliegt – fliegen

er biegt	er schlägt
er bog	er schlug
er fliegt	er schweigt
er flog	er steigt
er lag	er stieg
er legt	er trägt
er liegt	er trug
er log	er wiegt
er lügt	er wog
er mag	er zeigt
er sagt	er zog

Texte schreiben und überarbeiten

Wortfelder

- die Suppe **probieren/kosten**
- das Mittagessen **hinunterschlingen**
- von der Nachspeise **naschen**
- Gebäck **knabbern**
- **sich** von Obst und Gemüse **ernähren**
- Berge von Kuchen **verdrücken**
- eine Forelle **verspeisen**
- das Frühstück in Ruhe **genießen**
- das Frühstücksbrot **verzehren**
- ein Eis **schlecken**
- trockenes Brot **kauen**
- eine Banane **mampfen**
- mit Genuss **schmatzen**
- am Büfett **schlemmen**
- Schokolade **futtern**
- ohne Appetit **mümmeln**

- den heißen Kakao **schlürfen**
- die Limonade **hinunterstürzen**
- **sich** einen großen Schluck aus der Flasche **genehmigen**
- kaltes Wasser **hinunterkippen**
- vom Saft **nippen**

- eine Urkunde **aushändigen**
- zum Geburtstag etwas **schenken**
- einen Blumenstrauß **überreichen**
- die Hand **schütteln**
- eine Erlaubnis/Auskunft **erteilen**
- Geld für einen guten Zweck **spenden**
- einen Preis **verleihen**
- jemandem im Schullandheim ein Zimmer **zuweisen**
- jemandem eine Ermäßigung **gewähren/bewilligen**

- die Hausaufgaben sorgfältig **erledigen**
- einen Ausflug **unternehmen**
- eine schwere Arbeit **ausführen**
- ein Auto **reparieren**
- einen Plan **entwerfen**
- ein Feuer **anzünden**
- einen Strohstern **basteln**
- eine Party **veranstalten**

- zum Altar **schreiten**
- zum Ausgang **stolpern**
- mit jemandem um die Wette **rennen**
- auf dem Schulweg **trödeln**
- zum Bahnhof **hasten**
- um die Ecke **flitzen**
- durch die Straßen **bummeln**
- durch den Wald **streifen**
- auf einen Berg **steigen**
- durch den Schnee **stapfen**
- verletzt vom Spielfeld **humpeln**
- wie ein Indianer **schleichen**
- durch die Stadt **schlendern**
- durch den Park **spazieren**
- durch den kalten Bach **waten**
- ins Haus **stürmen**
- aus dem Zimmer **stürzen**
- über den Schulhof **rasen**

- in der Luft **schweben/segeln**
- wie ein Schmetterling **hin und her gaukeln**
- zum Nest **flattern**
- durch die Luft **wirbeln/schwirren**
- mit dem Fallschirm **zu Boden gleiten**

- um die Ecke **spitzen**
- Tiere im Zoo **beobachten**
- durchs Schlüsselloch **gucken**
- ins helle Sonnenlicht **blinzeln**
- von einem Turm auf die Stadt **blicken/schauen**
- erstaunt **gaffen**
- Rehe auf einer Waldwiese **erspähen**
- ein kunstvolles Spinnennetz **bestaunen**
- einen Fehler **bemerken**
- eine seltene Pflanze **entdecken**
- eine Wegmarkierung **finden**
- durch eine Ritze **lugen**
- Umrisse im Nebel **wahrnehmen**
- mit großen Augen **glotzen**

- im Sessel **einnicken/einduseln**
- in der Sonne **dösen**
- friedlich **schlummern**
- bis Mittag **ratzen**
- unter der Brücke **pennen**
- bis in den Morgen **schnarchen**

- eine Geschichte **erzählen**
- über einen Vorfall **berichten**
- **sich** über eine Fernsehsendung **unterhalten**
- mit dem Nachbarn **reden/ schwätzen**
- auf eine Frage **antworten**
- wütend **brüllen**
- miteinander **plaudern**
- ein Gedicht **vortragen**
- aufgeregt **stottern**
- über die Hausaufgaben **maulen**
- etwas **vor sich hin nuscheln**
- **murmeln**
- **sich** über ein Problem **äußern**
- vor Schmerz **jammern**
- jemandem ins Ohr **flüstern**
- Worte **heraussprudeln**

- vor Wut **heulen/plärren**
- vor Verzweiflung **schluchzen**
- vor Rührung **in Tränen ausbrechen**
- Tränen **vergießen**
- herzzerreißend **flennen**
- heimlich eine Träne **verdrücken**

- über eine gute Note **jubeln**
- schadenfroh **grinsen/feixen**
- über eine heitere Geschichte **schmunzeln**
- zufrieden **lächeln**
- **sich ins Fäustchen lachen**
- nach einem Sieg **triumphieren**
- vor Freude **jauchzen/juchzen**
- **begeistert aufspringen**

Treffende Ausdrücke

Angst haben

- **sich** vor einer Spinne **gruseln**
- bei einem unbekannten Geräusch **zusammenzucken**
- vor einer Prüfung **zittern**
- **mit den Zähnen klappern**
- **mit den Knien schlottern**
- **sich nicht mehr regen können**
- vor Entsetzen **wie gelähmt sein**
- **sich** vor Angst **verkriechen**
- **eine Gänsehaut kriegen**
- vor Angst **erschauern/beben**
- **Herzklopfen bekommen**
- **den Atem anhalten**
- **beunruhigt sein**
- **sich fürchten**
- vor einem Gespenst **zusammenfahren**

traurig sein

- **wehmütig** an die vergangenen Ferien **zurückdenken**
- über eine schlechte Note **enttäuscht/niedergeschlagen sein**
- über den Tod eines Tieres **klagen**
- über einen Unfall **erschüttert sein**
- **den Kopf/die Flügel hängen lassen**
- **Trübsal blasen**

wütend sein

- vor Zorn **rot anlaufen**
- **die Stirn runzeln**
- **in die Höhe fahren**
- **die Geduld verlieren**
- **in die Luft gehen**
- **aus der Haut fahren**
- **vor Wut platzen/toben/kochen**
- **die Wand hochgehen**
- **aufbrausen**
- **wie ein Rohrspatz schimpfen**
- **jemanden zur Weißglut bringen**
- **außer sich geraten**

froh sein

- **gut gelaunt** nach Hause kommen
- **selig** im Bett liegen
- **freudestrahlend** ein Geschenk empfangen
- **erleichtert aufatmen**
- **vergnügt/quietschvergnügt** aus dem Kino kommen
- **ausgelassen** durchs Haus toben
- **in Erinnerungen schwelgen**
- **zufrieden in sich hineinlächeln**
- **vor Freude umherhüpfen**
- **beschwingt** durchs Zimmer **tanzen**

Schwierige Vergangenheitsformen

	1. Vergangenheit	2. Vergangenheit
beginnen	er begann	er hat begonnen
beißen	er biss	er hat gebissen
biegen	er bog	er hat gebogen
binden	er band	er hat gebunden
bitten	er bat	er hat gebeten
bleiben	er blieb	er ist geblieben
brechen	er brach	er hat gebrochen
brennen	er brannte	er hat gebrannt
bringen	er brachte	er hat gebracht
denken	er dachte	er hat gedacht
dürfen	er durfte	er hat gedurft
empfangen	er empfing	er hat empfangen
empfinden	er empfand	er hat empfunden
essen	er aß	er hat gegessen
fahren	er fuhr	er ist gefahren
fallen	er fiel	er ist gefallen
fangen	er fing	er hat gefangen
finden	er fand	er hat gefunden
fliegen	er flog	er ist geflogen
fliehen	er floh	er ist geflohen
fließen	er floss	er ist geflossen
fressen	er fraß	er hat gefressen
frieren	er fror	er hat gefroren
geben	er gab	er hat gegeben
gehen	er ging	er ist gegangen
gelingen	es gelang	es ist gelungen
gelten	es galt	es hat gegolten
geschehen	es geschah	es ist geschehen
gewinnen	er gewann	er hat gewonnen
gießen	er goss	er hat gegossen
graben	er grub	er hat gegraben
greifen	er griff	er hat gegriffen

	1. Vergangenheit	2. Vergangenheit
hängen	er hing	er hat gehangen
halten	er hielt	er hat gehalten
heben	er hob	er hat gehoben
heißen	er hieß	er hat geheißen
helfen	er half	er hat geholfen
kennen	er kannte	er hat gekannt
kommen	er kam	er ist gekommen
können	er konnte	er hat gekonnt
kriechen	er kroch	er ist gekrochen
lassen	er ließ	er hat gelassen
laufen	er lief	er ist gelaufen
leiden	er litt	er hat gelitten
lesen	er las	er hat gelesen
liegen	er lag	er ist [hat] gelegen
lügen	er log	er hat gelogen
messen	er maß	er hat gemessen
mögen	er mochte	er hat gemocht
müssen	er musste	er hat gemusst
nehmen	er nahm	er hat genommen
pfeifen	er pfiff	er hat gepfiffen
raten	er riet	er hat geraten
reißen	er riss	er hat gerissen
reiten	er ritt	er ist geritten
rennen	er rannte	er ist gerannt
riechen	es roch	es hat gerochen
rufen	er rief	er hat gerufen
scheinen	es schien	es hat geschienen
schieben	er schob	er hat geschoben
schießen	er schoss	er hat geschossen
schlafen	er schlief	er hat geschlafen
schlagen	er schlug	er hat geschlagen

	1. Vergangenheit	2. Vergangenheit
schleichen	er schlich	er ist geschlichen
schließen	er schloss	er hat geschlossen
schneiden	er schnitt	er hat geschnitten
schreiben	er schrieb	er hat geschrieben
schreien	er schrie	er hat geschrien
schweigen	er schwieg	er hat geschwiegen
schwimmen	er schwamm	er ist geschwommen
sehen	er sah	er hat gesehen
singen	er sang	er hat gesungen
sinken	es sank	es ist gesunken
sitzen	er saß	er ist [hat] gesessen
sprechen	er sprach	er hat gesprochen
springen	er sprang	er ist gesprungen
stehen	er stand	er ist [hat] gestanden
stehlen	er stahl	er hat gestohlen
steigen	er stieg	er ist gestiegen
sterben	er starb	er ist gestorben
stoßen	er stieß	er hat gestoßen
tragen	er trug	er hat getragen
treffen	er traf	er hat getroffen
treiben	er trieb	er hat getrieben
treten	er trat	er hat getreten
trinken	er trank	er hat getrunken
verbieten	er verbot	er hat verboten
vergessen	er vergaß	er hat vergessen
verlieren	er verlor	er hat verloren
wachsen	er wuchs	er ist gewachsen
waschen	er wusch	er hat gewaschen
werfen	er warf	er hat geworfen
wiegen	er wog	er hat gewogen
wissen	er wusste	er hat gewusst
ziehen	er zog	er hat gezogen

Ausrufe, Gedanken, Gefühle

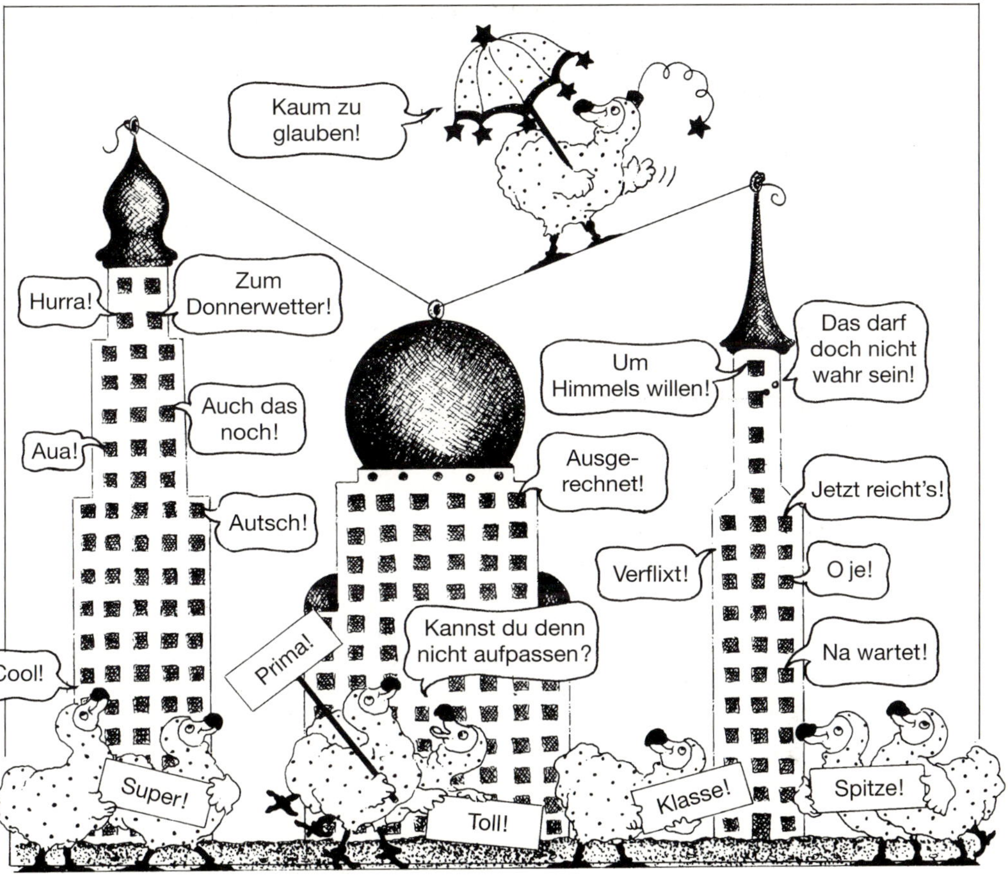

- Ich strahlte über das ganze Gesicht.
- Mir fiel ein Stein vom Herzen.
- Ich könnte die ganze Welt umarmen.
- Das Herz klopfte mir bis zum Hals.
- Mir rutschte das Herz in die Hosentasche.
- Meine Knie wurden ganz weich.
- Ich wurde leichenblass im Gesicht.
- Mein Herz raste wie wild.

Die wörtliche Rede verwenden · Satzzeichen

Peter sagte: „Warte ein bisschen, ich komme gleich.“

~~~~~ : „________________________.“

„Warte ein bisschen, ich komme gleich“, sagte Peter.

„________________________“, ~~~~~ .

„Warte ein bisschen“, sagte Peter, „ich komme gleich.“

„____________“, ~~~~~, „____________.“

Schreibe die Texte in den Sprechblasen z. B. so auf:

Findefix zischte: „Seid leise, sonst hören sie uns!"

„Seid leise, sonst hören sie uns!", zischte Findefix.

„Seid leise", zischte Findefix, „sonst hören sie uns!"

Findefix fragte: „Ist das der Stift, den dir Jan geliehen hat?"

„Ist das der Stift, den dir Jan geliehen hat?", fragte Findefix.

„Ist das der Stift", fragte Findefix, „den dir Jan geliehen hat?"
~~~~~

Das Wortfeld „sagen“ und die wörtliche Rede

flüstern
„Seid ganz leise“, flüsterte Dieter und drückte sich eng an die Wand.

zischen
„Könnt ihr nicht vorsichtiger sein“, zischte Petra, „uns hört man doch schon meilenweit.“

fragen
„Wann ist heute Training?“, fragte Klaus.

antworten
„Heute ist erst um 18 Uhr Training“, antwortete sein Freund.

erzählen
Oma rückte ihre Brille zurecht und begann zu erzählen: „Also, das war so.“

auffordern
„Berichte mir einmal ganz genau, wie es zu dem Unfall kam!“, forderte mich der Polizist auf.

stöhnen
„Ach, heute ist doch auch noch Schwimmen“, stöhnten die Kinder, als der Lehrer die zweite Hausaufgabe anschrieb.

stottern
„Da, da, das k, ka, kann doch nicht wahr sein“, stotterte ich vor Aufregung.

meinen
Norman meinte: „Wir sollten uns jetzt wirklich entscheiden.“

jammern
„Mein Bein, mein Bein!“, jammerte Anja.

rufen
Der Bauer rief über das ganze Feld zu uns herüber: „Macht, dass ihr aus dem Getreide herauskommt!“

schimpfen
„Kannst du deine Füße nicht heben?“, schimpfte Papa, während ich wieder einmal durch das Wohnzimmer schlurfte.

vorschlagen
„Wir könnten in den Zoo gehen“, schlug Sabine vor.

berichten
„Es war eindeutig ein Junge mit blonden Haaren“, berichtete der Augenzeuge.

erwidern
„Das passt mir aber gar nicht“, erwiderte die Kundin.

beschließen
„Das werden wir zusammen machen“, beschloss unsere Gruppe.

Wiederholungen am Satzanfang vermeiden

Trick 1:
Ein treffendes Wort an den Satzanfang setzen

Es beginnt:

Anfangs …
Zuerst …
Zunächst …
Zu Beginn …

… hatte keiner eine Idee.
… wusste niemand einen Rat.
… konnten wir uns nicht einigen.

Es geschieht nacheinander:

Nach und nach …
Im Laufe der Zeit …
Allmählich …
Nun …
Jetzt …
Danach …
Schließlich …
Endlich …
Später …

… lernte sie Schlittschuh laufen.
… beruhigten sie sich.
… blieben immer mehr Leute stehen.

Es ändert sich schlagartig:

Plötzlich …
Auf einmal …
In diesem Augenblick …
Gerade jetzt …
Unerwartet …

… flitzte ein Hund um die Ecke.
… passierte es.
… tauchte das Ungeheuer auf.

Es passiert zur gleichen Zeit:

Inzwischen …
Gleichzeitig …
Währenddessen …
Mittlerweile …
Im gleichen Moment …

… hatten die anderen aufgeholt.
… stürzten sich alle ins Wasser.
… kam die Sonne wieder zum Vorschein.

Es ist vorbei:

Neulich …
Damals …
Vor langer Zeit …
Einmal …

… begegnete ich einem alten Freund.
… gab es noch keinen Fernseher.
… lebte auf der Burg ein edler Ritter.

Es wird ein Gegensatz ausgedrückt:

Aber …	
	… keiner wagte
Trotzdem …	einen Schritt
	vorwärts.
Andererseits …	… kletterten alle
	auf die Felsen.
Jedoch …	… wollte er nicht
	allein bleiben.
Doch …	

Es wird etwas begründet:

Deshalb …	
	… ärgerte ich mich
Darum …	furchtbar.
	… traute ich mich
Daher …	nicht hinein.
	… ging ich zurück.
Aus diesem Grund …	

Es wiederholt sich etwas:

Gelegentlich …	… liege ich auf
	dem Teppich
Manchmal …	und träume.
	… bin ich mit
Oft …	meinen Gedanken
	abwesend.
Immer wieder …	… stelle ich mir vor,
	ich könnte fliegen.

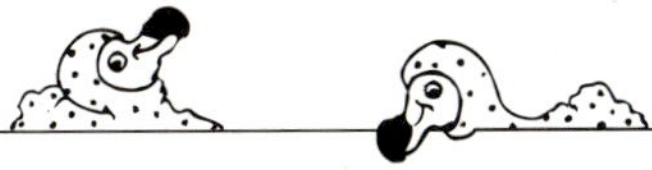

Trick 2:
Wiewörter (Adjektive) einfügen und an den Satzanfang stellen

Aufgeregt …	… machte er sich aus
	dem Staub.
Zornig …	… lenkte er vom
	Thema ab.
Blitzschnell …	… packte sie ihr
	Zeugnis ein.
Vorsichtig …	

Trick 3: Satzglieder umstellen

Tina überraschte ihre Mutter zum Geburtstag am Morgen mit einem köstlichen Frühstück.

Zum Geburtstag …

Am Morgen …

Mit einem köstlichen Frühstück …

Trick 4: Wörter im Satz ersetzen

Der **Hund** rannte auf mich zu.

Der **Hund** blieb vor mir stehen und fletschte drohend die Zähne.

Der **Hund** knurrte gefährlich.

Ich brüllte den **Hund** wütend an.

Dabei dachte ich mir: Wie könnte ich mich nur vor dem **Hund** in Sicherheit bringen?

Eine Katze war meine Rettung.

Sie lenkte den **Hund** ab.

er – ihn – ihm – der Köter – das Tier – die Bestie – das Mistvieh – das Untier

Reime und andere Wörter

A

	acht	es kracht, sie lacht, es macht, die Nacht
	alt	die Gewalt, halt, kalt
der	**Arm**	der Schwarm, warm
die	**Asche**	die Flasche, die Masche, die Tasche
der	**Ast**	fast, du hast
	auch	der Bauch, der Rauch
	auf	der Kauf, der Lauf
	aus	das Haus, die Maus, raus

B

die	**Bahn**	der Hahn, der Zahn
der	**Ball**	der Fall, der Knall
die	**Bank**	krank, schlank, er trank
der	**Bart**	hart, zart
der	**Bauch**	auch, der Rauch
der	**Baum**	kaum, der Raum, der Traum
	beginnen	gewinnen, innen
	bei	drei, zwei
	beide	das Getreide, die Kreide
das	**Bein**	fein, klein, mein
	beißen	heißen, reißen
	bellen	stellen, die Wellen
das	**Bett**	das Brett, fett, nett
die	**Beute**	heute, die Leute
	biegen	fliegen, liegen, wiegen
	binden	finden, verschwinden
die	**Bitte**	die Mitte, die Tritte
	bitten	sie ritten, der Schlitten
	bitter	das Gewitter, das Gitter, der Ritter
das	**Blatt**	glatt, satt
	blau	die Frau, rau, schlau, der Tau
	bleiben	schreiben, treiben
	blicken	knicken, schicken, stricken

blind	das Kind, wir sind, der Wind
der **Blitz**	der Sitz, spitz
der **Block**	der Rock, der Stock
bloß	groß, der Schoß
blühen	glühen, sprühen
das **Blut**	gut, er tut, die Wut
brauchen	rauchen, tauchen
brechen	sprechen, stechen
breit	weit, die Zeit
brennen	kennen, rennen, trennen
das **Brett**	das Bett, fett, nett
der **Brief**	er lief, schief, tief
die **Brille**	die Stille, der Wille
bringen	sie gingen, singen, springen
das **Brot**	die Not, rot, tot
die **Brücke**	die Lücke, die Stücke
die **Butter**	das Futter, die Mutter

D

danke	der Gedanke, die Schranke
danken	sie sanken, tanken, sie tranken
dann	sie kann, der Mann, wann
die **Decke**	die Ecke, die Schnecke
deins	eins, meins, seins
denken	lenken, schenken
der	er, her, schwer, wer
dicht	das Gesicht, das Licht, nicht
der **Dieb**	lieb, er schrieb, das Sieb
dir	mir, wir
doch	der Koch, er kroch, das Loch, noch
dort	der Ort, der Sport, das Wort
drehen	geschehen, stehen, die Zehen
drei	bei, zwei

E

die	**Ecke**	die Decke, die Schnecke
die	**Ehe**	ich gehe, die Zehe
	eins	deins, meins, seins
	er	der, her, schwer, wer
die	**Erde**	die Herde, die Pferde
	essen	fressen, messen, vergessen

F

der	**Fall**	der Ball, der Knall
	fallen	knallen, die Quallen
er	**fand**	die Hand, der Sand, der Strand
	fangen	gegangen, verlangen
das	**Fass**	der Hass, nass, der Pass
	fassen	lassen, passen
	fast	der Ast, du hast
	fein	das Bein, klein, mein
das	**Feld**	das Geld, der Held
	fett	das Bett, das Brett, nett
	finden	binden, verschwinden
die	**Flasche**	die Asche, die Masche, die Tasche
	fliegen	biegen, liegen, wiegen
die	**Frau**	blau, rau, schlau, der Tau
	fressen	essen, messen, vergessen
das	**Futter**	die Butter, die Mutter

G

der	**Gedanke**	danke, die Schranke
	gegangen	fangen, verlangen
	gegen	legen, pflegen, der Regen, wegen
ich	**gehe**	die Ehe, die Zehe
das	**Geld**	das Feld, der Held

	geschehen	drehen, stehen, die Zehen
das	**Gesicht**	dicht, das Licht, nicht
das	**Getreide**	beide, die Kreide
die	**Gewalt**	alt, halt, kalt
	gewinnen	beginnen, innen
das	**Gewitter**	bitter, das Gitter, der Ritter
sie	**gingen**	bringen, singen, springen
das	**Gitter**	bitter, das Gewitter, der Ritter
	glatt	das Blatt, satt
	gleich	reich, weich
die	**Glocken**	hocken, die Locken, trocken
das	**Glück**	das Stück, zurück
	glühen	blühen, sprühen
das	**Gramm**	der Kamm, der Stamm
	greifen	pfeifen, der Reifen
	groß	bloß, der Schoß
die	**Gruppe**	die Puppe, die Suppe
	gut	das Blut, er tut, die Wut

H

der	**Hahn**	die Bahn, der Zahn
	halt	alt, die Gewalt, kalt
die	**Hand**	er fand, der Sand, der Strand
	hart	der Bart, zart
der	**Hase**	die Nase, die Vase
der	**Hass**	das Fass, nass, der Pass
du	**hast**	der Ast, fast
der	**Haufen**	kaufen, laufen
das	**Haus**	aus, die Maus, raus
	heißen	beißen, reißen
der	**Held**	das Feld, das Geld
	heller	der Keller, schneller, der Teller
	her	der, er, schwer, wer

die **Herde**	die Erde, die Pferde
das **Herz**	der Scherz, der Schmerz
hetzen	setzen, verletzen
er **hetzt**	jetzt, verletzt
heute	die Beute, die Leute
hier	das Papier, das Tier, vier
hocken	die Glocken, die Locken, trocken
die **Hose**	die Lose, die Rose

I

immer	schlimmer, das Zimmer
innen	beginnen, gewinnen

J

jetzt	er hetzt, verletzt

K

kahl	er stahl, die Zahl
kalt	alt, die Gewalt, halt
der **Kamm**	das Gramm, der Stamm
sie **kann**	dann, der Mann, wann
der **Kauf**	auf, der Lauf
kaufen	der Haufen, laufen
kaum	der Baum, der Raum, der Traum
der **Keller**	heller, schneller, der Teller
kennen	brennen, rennen, trennen
die **Ketten**	retten, wetten
das **Kind**	blind, wir sind, der Wind
klein	das Bein, fein, mein

	klopfen	stopfen, der Tropfen, tropfen
	klug	er schlug, der Zug
der	**Knall**	der Ball, der Fall
	knallen	fallen, die Quallen
	knicken	blicken, schicken, stricken
der	**Knochen**	kochen, lochen, die Wochen
der	**Knopf**	der Kopf, der Topf, der Zopf
der	**Koch**	doch, er kroch, das Loch, noch
	kochen	der Knochen, lochen, die Wochen
der	**Kopf**	der Knopf, der Topf, der Zopf
es	**kracht**	acht, sie lacht, es macht, die Nacht
die	**Kräne**	die Pläne, die Träne
	krank	die Bank, schlank, er trank
die	**Kreide**	beide, das Getreide
er	**kroch**	doch, der Koch, das Loch, noch

L

sie	**lacht**	acht, es kracht, es macht, die Nacht
	lassen	fassen, passen
der	**Lauf**	auf, der Kauf
	laufen	der Haufen, kaufen
	legen	gegen, pflegen, der Regen, wegen
	leise	die Reise, die Speise
	lenken	denken, schenken
die	**Leute**	die Beute, heute
das	**Licht**	dicht, das Gesicht, nicht
	lieb	der Dieb, er schrieb, das Sieb
	lieben	schieben, sieben, sie trieben
die	**Lieder**	nieder, wieder
er	**lief**	der Brief, schief, tief
	liegen	biegen, fliegen, wiegen
das	**Loch**	doch, der Koch, er kroch, noch
	lochen	der Knochen, kochen, die Wochen

die	**Locken**	die Glocken, hocken, trocken
die	**Lose**	die Hose, die Rose
die	**Lücke**	die Brücke, die Stücke

M

es	**macht**	acht, sie lacht, es kracht, die Nacht
	mähen	nähen, spähen
der	**Mann**	dann, sie kann, wann
die	**Masche**	die Asche, die Flasche, die Tasche
die	**Maus**	aus, das Haus, raus
	mehr	sehr, der Verkehr
	mein	das Bein, fein, klein
	meinen	scheinen, weinen
	meins	deins, eins, seins
	messen	essen, fressen, vergessen
	mir	dir, wir
die	**Mitte**	die Bitte, die Tritte
die	**Mutter**	die Butter, das Futter
die	**Mütze**	die Pfütze, der Schütze

N

die	**Nacht**	acht, es kracht, sie lacht, es macht
	nähen	mähen, spähen
die	**Nase**	der Hase, die Vase
	nass	das Fass, der Hass, der Pass
	nett	das Bett, das Brett, fett
	neu	scheu, treu
	nicht	dicht, das Gesicht, das Licht
	nieder	die Lieder, wieder
	noch	doch, der Koch, er kroch, das Loch
die	**Not**	das Brot, rot, tot

O

der	**Ort**	dort, der Sport, das Wort

P

das	**Papier**	hier, das Tier, vier
der	**Pass**	das Fass, der Hass, nass
	passen	fassen, lassen
	pfeifen	greifen, der Reifen
die	**Pferde**	die Erde, die Herde
	pflegen	gegen, legen, der Regen, wegen
die	**Pfütze**	die Mütze, der Schütze
die	**Pläne**	die Kräne, die Träne
die	**Puppe**	die Gruppe, die Suppe

Q

die	**Quallen**	fallen, knallen

R

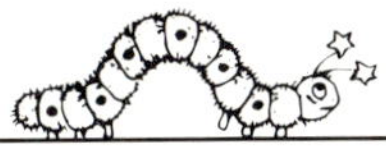

	rau	blau, die Frau, schlau, der Tau
der	**Rauch**	auch, der Bauch
	rauchen	brauchen, tauchen
der	**Raum**	der Baum, kaum, der Traum
	raus	aus, das Haus, die Maus
der	**Regen**	gegen, legen, pflegen, wegen
	reich	gleich, weich
der	**Reifen**	greifen, pfeifen
die	**Reise**	leise, die Speise
	reißen	beißen, heißen
	rennen	brennen, kennen, trennen
	retten	die Ketten, wetten

sie	**ritten**	bitten, der Schlitten
der	**Ritter**	bitter, das Gewitter, das Gitter
der	**Rock**	der Block, der Stock
	rollen	sollen, wollen
die	**Rose**	die Hose, die Lose
	rot	das Brot, die Not, tot
der	**Rüssel**	der Schlüssel, die Schüssel

S

der	**Sand**	er fand, die Hand, der Strand
sie	**sanken**	danken, tanken, sie tranken
	satt	das Blatt, glatt
	scheinen	meinen, weinen
	schenken	denken, lenken
der	**Scherz**	das Herz, der Schmerz
	scheu	neu, treu
	schicken	blicken, knicken, stricken
	schieben	lieben, sieben, sie trieben
	schief	der Brief, er lief, tief
	schielen	spielen, zielen
	schlank	die Bank, krank, er trank
	schlau	blau, die Frau, rau, der Tau
	schlimmer	immer, das Zimmer
der	**Schlitten**	bitten, sie ritten
er	**schlug**	klug, der Zug
der	**Schlüssel**	der Rüssel, die Schüssel
der	**Schmerz**	das Herz, der Scherz
die	**Schnecke**	die Decke, die Ecke
	schneller	heller, der Keller, der Teller
der	**Schoß**	bloß, groß
die	**Schranke**	danke, der Gedanke
	schreiben	bleiben, treiben
er	**schrieb**	der Dieb, lieb, das Sieb

die **Schüssel**	der Rüssel, der Schlüssel
der **Schütze**	die Mütze, die Pfütze
der **Schwarm**	arm, warm
schwer	der, er, her, wer
sehr	mehr, der Verkehr
seins	deins, eins, meins
setzen	hetzen, verletzen
das **Sieb**	der Dieb, lieb, er schrieb
sieben	lieben, schieben, sie trieben
wir **sind**	blind, das Kind, der Wind
singen	bringen, sie gingen, springen
sinken	trinken, winken
der **Sitz**	der Blitz, spitz
sollen	rollen, wollen
spähen	mähen, nähen
die **Speise**	leise, die Reise
spielen	schielen, zielen
spitz	der Blitz, der Sitz
der **Sport**	dort, der Ort, das Wort
sprechen	brechen, stechen
springen	bringen, sie gingen, singen
sprühen	blühen, glühen
er **stahl**	kahl, die Zahl
der **Stamm**	das Gramm, der Kamm
stechen	brechen, sprechen
stehen	drehen, geschehen, die Zehen
stellen	bellen, die Wellen
die **Stille**	die Brille, der Wille
der **Stock**	der Block, der Rock
stopfen	klopfen, der Tropfen, tropfen
der **Strand**	er fand, die Hand, der Sand
stricken	blicken, knicken, schicken
das **Stück**	das Glück, zurück
die **Stücke**	die Brücke, die Lücke
die **Suppe**	die Gruppe, die Puppe

T 

	tanken	danken, sie sanken, sie tranken
die	**Tasche**	die Asche, die Flasche, die Masche
der	**Tau**	blau, die Frau, rau, schlau
	tauchen	brauchen, rauchen
der	**Teller**	heller, der Keller, schneller
	tief	der Brief, er lief, schief
das	**Tier**	hier, das Papier, vier
der	**Topf**	der Knopf, der Kopf, der Zopf
	tot	das Brot, die Not, rot
die	**Träne**	die Kräne, die Pläne
er	**trank**	die Bank, krank, schlank
sie	**tranken**	danken, sie sanken, tanken
der	**Traum**	der Baum, kaum, der Raum
	treiben	bleiben, schreiben
	trennen	brennen, kennen, rennen
	treu	neu, scheu
sie	**trieben**	lieben, schieben, sieben
	trinken	sinken, winken
die	**Tritte**	die Bitte, die Mitte
	trocken	die Glocken, hocken, die Locken
der	**Tropfen**	klopfen, stopfen, tropfen
	tropfen	klopfen, stopfen, der Tropfen
er	**tut**	das Blut, gut, die Wut

V 

die	**Vase**	der Hase, die Nase
	vergessen	essen, fressen, messen
der	**Verkehr**	mehr, sehr
	verlangen	fangen, gegangen
	verletzen	hetzen, setzen
	verletzt	er hetzt, jetzt
	verschwinden	binden, finden
	vier	hier, das Papier, das Tier

W

	wann	dann, sie kann, der Mann
	warm	der Arm, der Schwarm
	wegen	gegen, legen, pflegen, der Regen
	weich	gleich, reich
	weinen	meinen, scheinen
	weit	breit, die Zeit
die	**Wellen**	bellen, stellen
	wer	der, er, her, schwer
	wetten	die Ketten, retten
	wieder	die Lieder, nieder
	wiegen	biegen, fliegen, liegen
der	**Wille**	die Brille, die Stille
der	**Wind**	blind, das Kind, wir sind
	winken	sinken, trinken
	wir	dir, mir
die	**Wochen**	der Knochen, kochen, lochen
	wollen	rollen, sollen
das	**Wort**	dort, der Ort, der Sport
die	**Wut**	das Blut, gut, er tut

Z

die	**Zahl**	kahl, er stahl
der	**Zahn**	die Bahn, der Hahn
	zart	der Bart, hart
die	**Zehe**	die Ehe, ich gehe
die	**Zehen**	drehen, geschehen, stehen
die	**Zeit**	breit, weit
	zielen	schielen, spielen
das	**Zimmer**	immer, schlimmer
der	**Zopf**	der Knopf, der Kopf, der Topf
der	**Zug**	klug, er schlug
	zurück	das Glück, das Stück
	zwei	bei, drei

Gleich oder sehr ähnlich klingende, aber verschiedene geschriebene Wörter

das **Bad** (Schwimmbad)	B	er **bat** – bitten
der **Biss** (Hundebiss)		**bis** (bis morgen)
die **Blüte** (Apfelblüte)		es **blühte** – blühen
er **bot** – bieten		das **Boot** (Segelboot)
bunt (bunte Federn)		der **Bund** (Geheimbund)
das **Café** (ins Café gehen)	C	der **Kaffee** (Kaffee trinken)
das (das Kind)	D	**dass** (sich freuen, dass …)
die **Fälle** – der Fall	F	die **Felle** – das Fell
fast (fast so groß)		er **fasst** – fassen
sie **fasten** (Fastenzeit)		sie **fassten** – fassen
faul (ein fauler Apfel)		das **Foul** (Foulspiel)
das **Feld** (Spielfeld)		er **fällt** – fallen
die **Ferse** (Teil des Fußes)		die **Verse** (Verse dichten)
du **fliehst** – fliehen		es **fließt** – fließen
die **Frist** (eine Frist von 30 Tagen)		er **frisst** – fressen
ganz (ganz und gar)	G	die **Gans,** die Gänse
sie **hasten** (eilen)	H	sie **hassten** – hassen
die **Häute** – die Haut		**heute** (heute Morgen)
der **Held,** die Helden		er **hält** – halten
der **Hengst** (das Pferd)		du **hängst** – hängen
hohl (ein hohler Baum)		**hol** – holen
er **ist** – sein	I	er **isst** – essen
die **Kante** (Tischkante)	K	er **kannte** – kennen
die **Küste** (Meeresküste)		er **küsste** – küssen
die **Lärche** (der Baum)	L	die **Lerche** (der Vogel)
die **Last** (eine schwere Last)		ihr **lasst** – lassen

der **Laib** (Brotlaib)	L	der **Leib** (Körper)
sie **lehren** (etwas beibringen)		sie **leeren** (Papierkörbe leeren)
das **Leid** (der Kummer)		er **leiht** – leihen
die **Leute** (Menschen)		ich **läute** – läuten
das **Lied** (ein Lied singen)		das **Lid** (Augenlid)
lies – lesen		er **ließ** – lassen
sie **mahlen** (Kaffee mahlen)	M	sie **malen** (ein Bild malen)
mal (zweimal)		das **Mahl** (Festmahl)
der **Mann,** die Männer		**man** (Wie schreibt man das?)
das **Meer** (im Meer schwimmen)		**mehr** (mehr lernen)
die **Mine** (Bleistiftmine)		die **Miene** (mit ernster Miene)
sich **rächen** – die Rache	R	sie **rechen** (Gras rechen)
der **Rat** (einen Rat geben)		das **Rad** (Rad fahren)
sie **reißen** (etwas zerreißen)		sie **reisen** (eine Reise machen)
das **Rind,** die Rinder		es **rinnt** – rinnen
die **Saite** (Gitarrensaite)	S	die **Seite** (Buchseite)
ihr **seid** – sein		**seit** (seit gestern)
er **singt** – singen		sie **sinkt** (die sinkende Sonne)
spät (spät aufstehen)		er **späht** – spähen
die **Stämme** – der Stamm		ich **stemme** (Gewichte stemmen)
die **Stelle** (an dieser Stelle)		die **Ställe** – der Stall
der **Stil** (Baustil)		der **Stiel** (Besenstiel)
der **Tod** (die Todesangst)	T	**tot** (tot sein)
viel (viel Geld)	V	er **fiel** – fallen
die **Waagen** – die Waage	W	der **Wagen** (Lastwagen)
er **war** – sein		**wahr** (wahre Geschichten)
der **Wal** (das Tier)		die **Wahl** – wählen
die **Wälle** – der Wall		die **Welle** (das Wellenbad)
wert (viel wert sein)		er **wehrt** sich – sich wehren
wieder (noch einmal)		**wider** (gegen)

Bild-Wörterbuch Französisch

1 Wörter nachschlagen

- Du suchst das französische Wort für „Bauch".
  Schau oben im Inhaltsverzeichnis nach. Wo könnte es stehen?
  Achte dabei auch auf die Abbildungen.
- Schlage jetzt nach und überprüfe deine Vermutung.
- Unter welchem Thema findest du diese Wörter?

2 Satzmuster entdecken, sich einprägen und verändern

- Im Bild-Wörterbuch kannst du viele Beispiele für Sätze entdecken. Schlage z. B. „Les mois, les saisons et le temps“ auf (Seite 242) und suche Antworten auf die Frage „Quel temps fait-il?“.
- Suche davon drei Sätze aus und schreibe sie auf: *Il y a du soleil. Il y a …*

3 Spielideen

- Du kannst mit dem Bild-Wörterbuch Spiele ausprobieren: „Kofferpacken“ (Seite 244), ein Tierquiz (Seite 248) oder ein Gegensatz-Spiel (Seite 250).
- Du kannst auch selbst ein Frage-Antwort-Spiel anfertigen: Suche nach passenden Satzmustern im Bild-Wörterbuch. Notiere auf einer Karte die Frage, auf einer anderen die Antwort, z. B.:

D'où vient le kangourou?	*Le kangourou vient d'Australie.*	*C'est quand, Noël?*	*Noël est en décembre.*

Jetzt kannst du mit deinem Partner spielen.

4 Weitere Schreibideen

- Du kannst mit den Satzmustern lange Sätze schreiben, z. B.:

  Dans ma valise il y a un T-shirt, un pull, …

  J'ai beaucoup d'animaux domestiques: un chien, un chat, …
- Du kannst aus dem Bild-Wörterbuch heraussuchen, was du gerne magst und was du nicht so gerne magst:

  J'aime les serpents, … *Je n'aime pas le café, …*
- Du kannst zu einem Thema ein Plakat gestalten. Schreibe z. B. Wörter für Essen und Getränke (Seite 246) aus dem Bild-Wörterbuch auf und klebe oder male passende Bilder dazu.

5 Sich Wörter einprägen

- Schreibe das Wort auf eine Karteikarte und notiere einen Satz dazu. Die Sprechblasen mit den Beispielsätzen helfen dir dabei.
- Tipps zum Trainieren findest du auf Seite 179.

jaune
Ma couleur préférée est le jaune.

la craie

la maîtresse

l'élève

les affaires

le stylo

le tableau

l'image

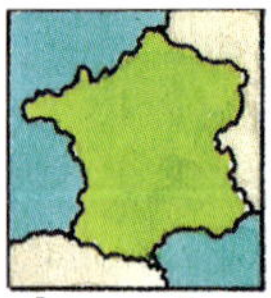
la carte

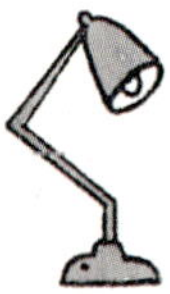
la lampe

le bureau

la table

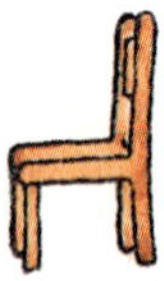
la chaise

la porte

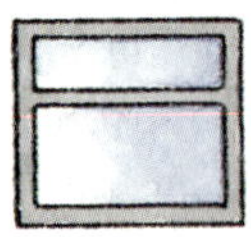
la fenêtre

e crayon

la gomme

le feutre

la règle

les ciseaux

l'école

la trousse

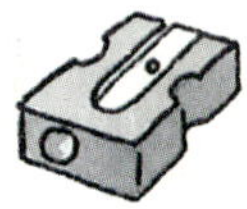
le taille-crayon

la colle

la boîte de couleurs

'ordinateur

le cartable

le livre

le cahier

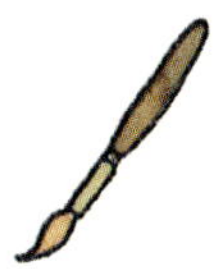
le pinceau

Parlons français!

le frère

la sœur

le père
(papa)

la mère
(maman)

la cuisine

la salle de séjour

le couteau

la fourchette

la cuillère

la tasse

l'assiette

le verre

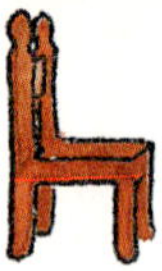
la chaise

la table

le placard

la lampe

grand-père
(papie)

la grand-mère
(mamie)

l'oncle

la tante

la salle de bains

la chambre

le lit

l'armoire

la porte

la pendule

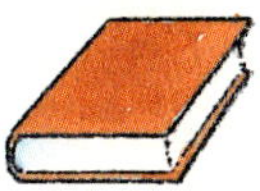

le livre

le tapis

la fenêtre

Parlons français!

Les animaux domestiques, les jouets et les hobbies

une tortue

un hamster

un chat

un chien

une perruche

un poisson rouge

As-tu un animal domestique?

Non.

Oui, j'ai …

un ours en peluche

une voiture

un train

une poupée

Quel est ton jouet préféré?

un ballon

Mon jouet préféré est …

le piano

la guitare

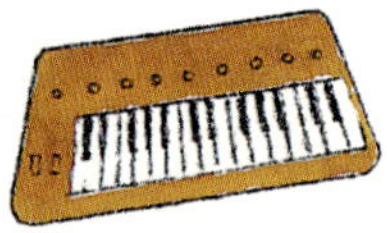

le keyboard

la flûte

Tu sais jouer d'un instrument?

Oui, je joue du piano.

Oui, je joue de la guitare.

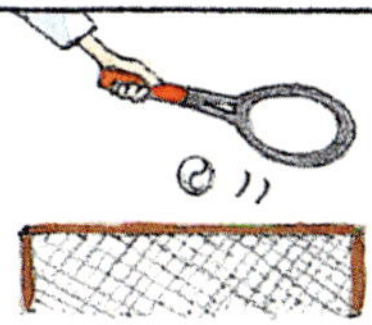

jouer au tennis

jouer au foot(ball)

faire du roller

danser

nager

faire du vélo

monter à cheval

faire la cuisine

lire des livres

peindre

regarder la télé

écouter des CD / la radio

jouer à des jeux d'ordinateur

collectionner des timbres-poste

Parlons français!

Chez le docteur

le médicament

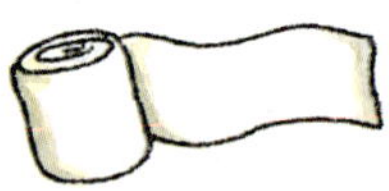

le pansement

le cachet

le sparadrap

Mon corps et mon visage

le visage

la bouche

les cheveux

les lèvres

les oreilles

les dents

les yeux

la langue

le nez

le cou

un œil	un genou
deux yeux	deux genoux

Les jours de la semaine

lundi

mardi

mercredi

jeudi

vendredi

samedi

dimanche

me retrouver avec des amis/amies

aller à la piscine

jouer à l'ordinateur

jouer au foot(ball)

aller au cinéma

regarder la télé

lire un livre

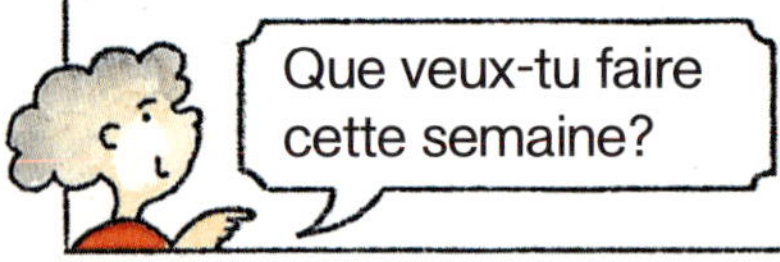

L'heure
Quelle heure est-il?
Il est …
midi et quart
minuit et quart
une heure
Bonjour!
Je me lève.
Je vais à l'école.
onze heures
deux heures et quart
Bon appétit!
Je déjeune.
Je fais mes devoirs.
dix heures et demie
trois heures et demie
Bonsoir!
Bonne nuit!
Je dîne.
Je vais me coucher.
neuf heures
quatre heures
Je me lève à …
Et toi?
Je me lève à …
Je … à …
huit heures et demie
sept heures moins le quart
six heures et quart
cinq heures moins le quart

Parlons français!

Quel temps fait-il?

Il y a du soleil.
Il y a des nuages.

le soleil

les nuages

le vent

le bonhomme de neige

la luge

le cerf-volant

les feuilles

Les mois, les saisons et le temps

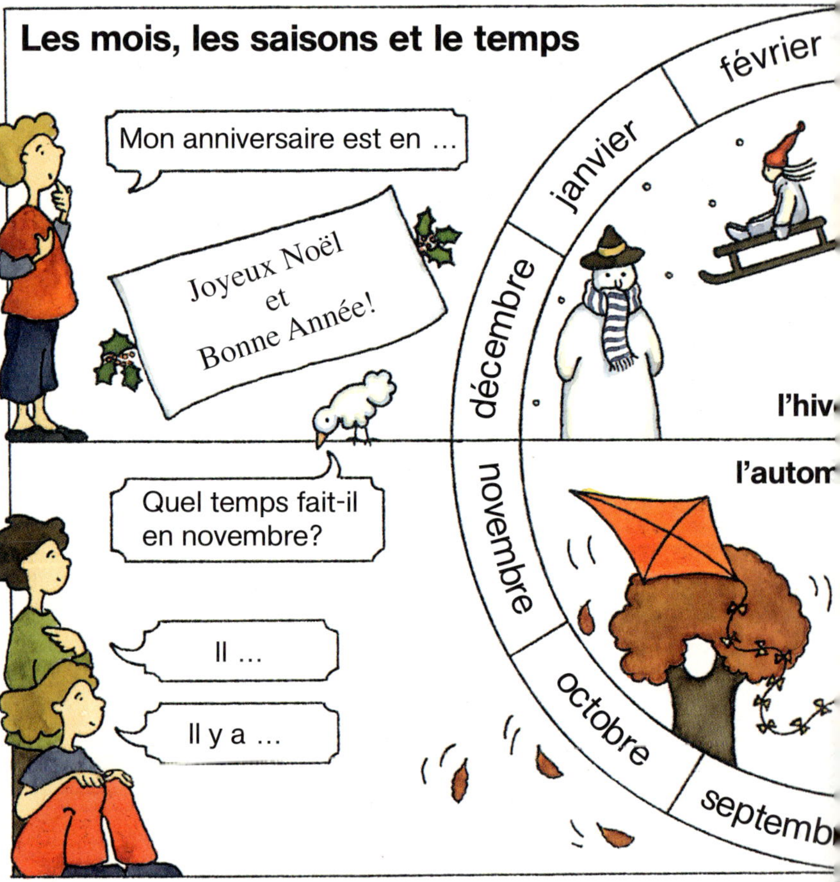

C'est quand, Noël?

Noël est en décembre.

Noël

la Fête des Rois

Mardi gr

le brouillard

la neige

la pluie

Il pleut.
Il neige.

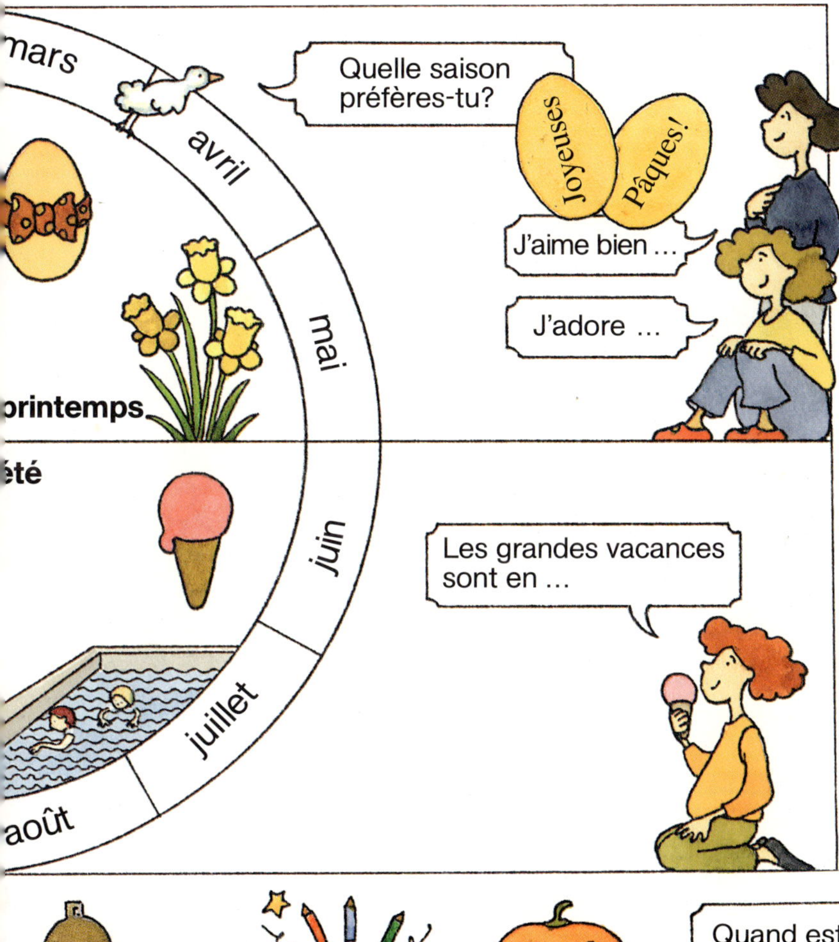

la jonquille

l'œuf de Pâques

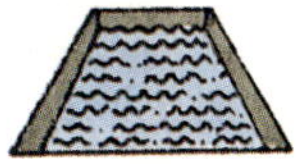

la piscine

la glace

Pâques

le 14 juillet

Halloween

Parlons français!

une brosse
à dents

une valise

un T-shirt

des gants

un sweat-sh

un pyjama

un parapluie

des lunettes
de soleil

Mes vêtements

un anorak

une brosse
à cheveux

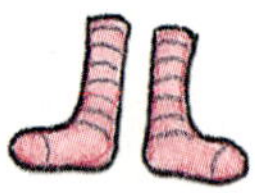

des chaussettes

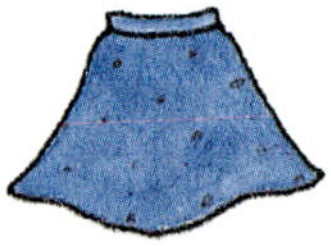

une jupe

un short

À toi de jouer!

un pantalon

un chemisier

des chaussures

une veste

une casquette de baseball

Les couleurs

rose | rouge | orange | jaune | marron

vert, verte | bleu, bleue | violet, violette

noir, noire | blanc, blanche | gris, grise

une robe

un jean

un chapeau

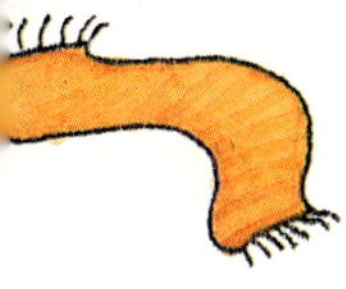
une écharpe

des tennis
des baskets

un pull(-over)

des pantoufles

un manteau

Parlons français!

les biscuits

le pain

la baguette

le beurre

le miel

le sucre

le sel

le jambon

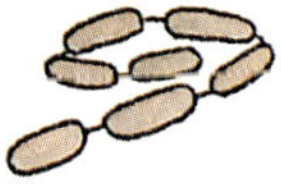

les saucisses

les œufs

les fruits

les pommes

les bananes

les oranges

la glace

les bonbons

le chocolat

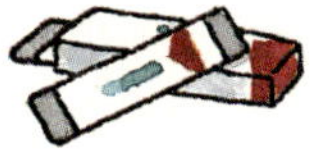
les chewing-gums

les boissons

Faire les courses

café	1,80 €
thé	2,50 €
tisane	2,50 €
limonade	2,50 €
orangeade	2,50 €
coca	2,80 €

le lait

le jus d'oranges

la limonade

le thé

le café

les légumes

les carottes

les tomates

les pommes de terre

le perroquet

l'ours

le dauphin

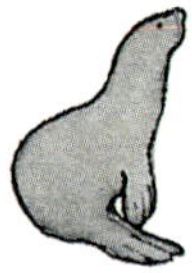

le phoque

le kangourou

le renard

le panda

le loup

Animaux

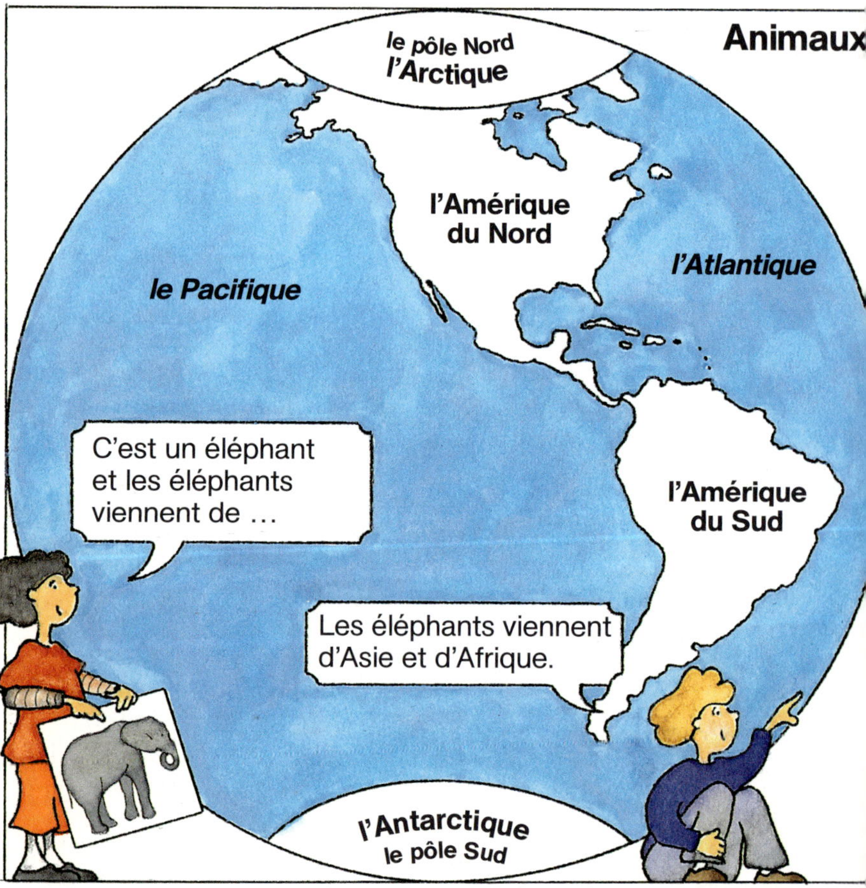

l'éléphant

l'hippopotame

l'ours blanc

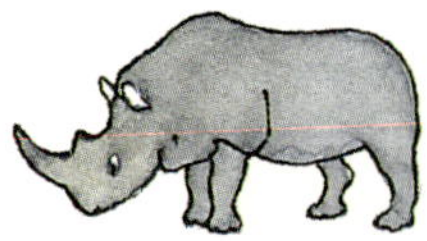

le rhinocéros

À toi de jouer!

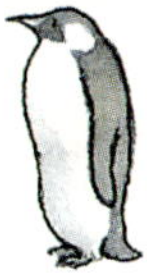
le pingouin

le lion

le chameau
les chameaux

le singe

le serpent

sauvages

le buffle

le koala

l'autruche

la girafe

le tigre

le crocodile

le zèbre

un verre **plein**

un verre **vide**

une fenêtre **ouverte**

une fenêtre **ferm**

acide

sucré

Les contraires

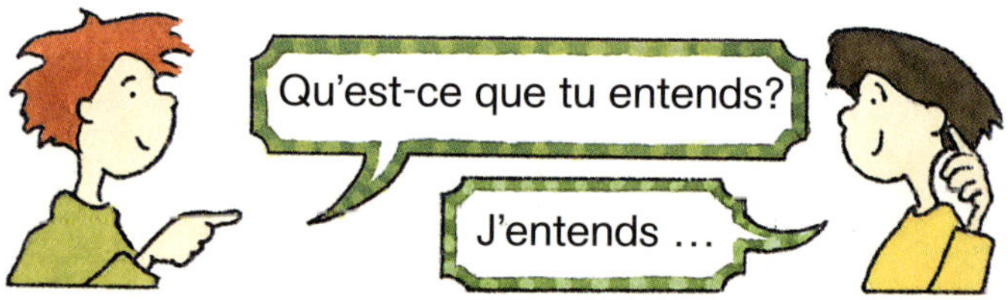

une ligne **longue**

une ligne **courte**

avoir **chaud**

avoir **froid**

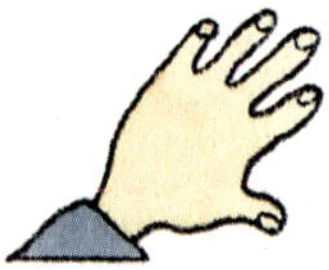
une main **gauche**

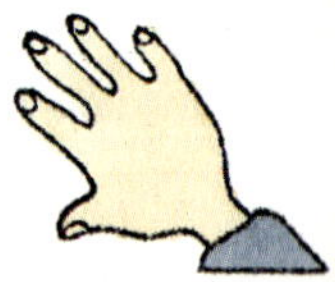
une main **droite**

À toi de jouer!

$4 + 8 = 12$

une réponse **juste**

$4 + 8 = 10$

une réponse **fausse**

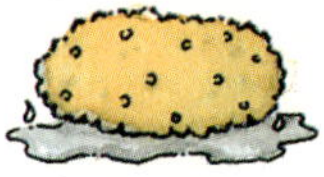

une éponge **humide**

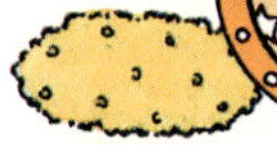

une éponge **sèche**

une musique **forte**

une musique **douce**

un garçon **fort**

un garçon **faible**

une **petite** fille

une **grande** fille

être **heureux**
être **heureuse**

être **triste**

une fée

un nain

un magicien

Mon monde imaginaire

un pirate

une sirène

une sorcière

un fantôme

un géant

un champion de football

une princesse

vivre comme
un roi

voler sur un tapis
volant

marcher
sur la lune

naviguer sur
un bateau pirate

conduire
une voiture de course

habiter dans un
château

gagner
beaucoup d'argent

me battre
avec un dragon

Grammatik auf einen Blick

Wortart **Nomen**

Verschiedene Nomen

Vater, Frau, Kind
Hund, Maus, Elefant
Hut, Zelt, Leiter
Baum, Rose, Gras
Angst, Schmerzen, Hitze
Lärm, Musik, Stimme
Freundschaft, Glück, Traum

Nomen im Singular und Plural

der Igel – die Igel
die Freundin – die Freundinnen
das Haus – die Häuser

Nomen mit verschiedenen Artikeln

bestimmter Artikel	**unbestimmter** Artikel
der Junge	**ein** Junge
die Schule	**eine** Schule
das Mädchen	**ein** Mädchen

Pronomen als Stellvertreter von Nomen

Jonas geht zum Bäcker.
Er kauft fünf Brötchen und ein Brot.

Petra fand gestern einen Geldbeutel.
Sie brachte ihn zum Fundbüro.

Julia bekam zum Geburtstag ein Häschen.
Sie füttert und pflegt es regelmäßig.

Nomen und Pronomen in unterschiedlichen Fällen

Der Clown stolpert in die Arena.
Er hat zu große Schuhe an.

Die Perücke **des Clowns** fliegt durch die Luft.

Die Zuschauer jubeln **dem Clown** zu.
Jetzt rutscht **ihm** auch noch die Hose.

Der Direktor will **den Clown** am Kragen packen, aber er erwischt **ihn** nicht.

Wortart **Verben**

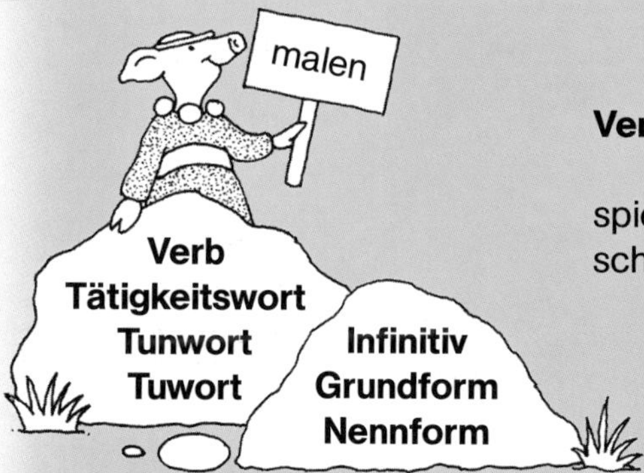

Verben im Infinitiv

spielen, gehen, wachsen, verdunsten, schlafen, duften

Personalformen des Verbs

Ich-Form	ich mal**e**	**1. Person Singular**
Du-Form	du mal**st**	**2. Person**
Er-, Sie-, Es-Form	er, sie, es mal**t**	**3. Person**
Wir-Form	wir mal**en**	**1. Person Plural**
Ihr-Form	ihr mal**t**	**2. Person**
Sie-Form	sie mal**en**	**3. Person**

Verben im Präsens

ich spiel**e**
du hör**st**
er, sie, es lach**t**

wir frag**en**
ihr staun**t**
sie fühl**en**

Verben im Präteritum

ich spiel**te**
du hör**test**
er, sie, es lach**te**

wir frag**ten**
ihr staun**tet**
sie fühl**ten**

Verben im Perfekt

ich **habe ge**spielt
du **hast ge**hört
er, sie, es **hat ge**lacht

wir **haben ge**fragt
ihr **habt ge**staunt
sie **haben ge**fühlt

Verben im Futur

ich **werde** spielen
du **wirst** hören
er, sie, es **wird** lachen

wir **werden** fragen
ihr **werdet** staunen
sie **werden** fühlen

Schwierige Vergangenheitsformen: siehe Seite 206 bis 208

Wortart **Adjektive**

Verschiedene Adjektive
freundlich, fleißig, groß, klein, ängstlich, lustig, schnell, langsam, kalt, rot

Adjektive vor einem Nomen
der **lustige** Schüler
die **rote** Ampel

Adjektive als Teil einer Satzaussage
Der Schüler ist **lustig**.
Die Ampel ist **rot**.

Adjektive beim Verb
lustig erzählen
rot blinken

Adjektive in verschiedenen Vergleichsformen

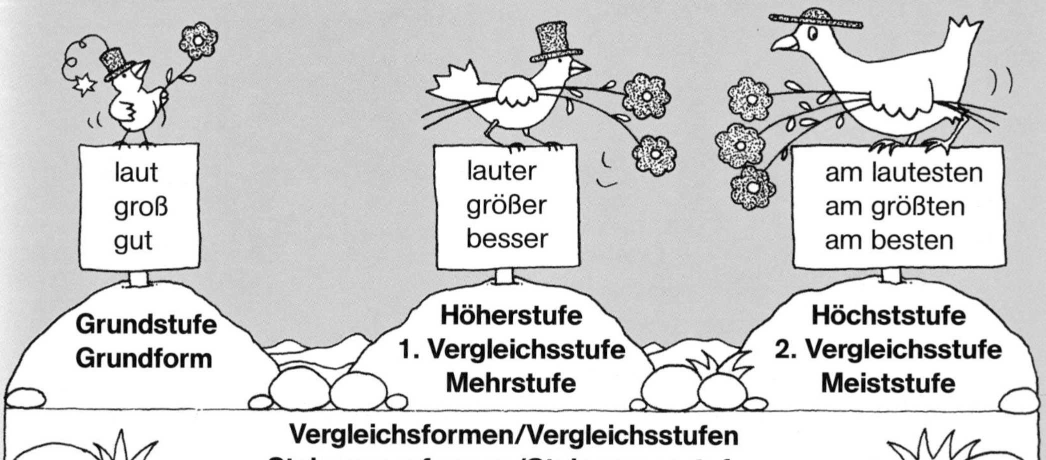

Laute

Vokale Selbstlaute
a e i o u

Konsonanten Mitlaute
b c d f g h j k l m n p q r s t v w x y z

Umlaute
ä ö ü

Doppellaute Zwielaute ✱
ai au äu ei eu

Silben

Wörter mit einer Silbe
in, aus, ein, auch, schön, Bus, Schlauch, Not

Wörter mit zwei Silben
ma-len, kau-fen, Hun-de, Him-mel, Ei-mer

Wörter mit drei oder mehr Silben
Feu-er-wehr, Not-ruf-an-la-ge

Wortbausteine

Vorsilben

Beruf
entsetzt
erkennen
Geschenk
Unwetter
Verkauf
zerbrechen

Präpositionen Lagewörter

anfangen
Beispiel
Gegenteil
Überfall
unterscheiden
vorsichtig

Nachsilben

Krank**heit**
Süßig**keit**
gräß**lich**
ein**sam**
Freund**schaft**
Eigen**tum**

Endungen

Löf-f**el**
Rü-ck**en**
Mut-t**er**
Hei-z**ung**
Freun-d**in**
ei-s**ig**
spiele-r**isch**

✱ Nach Doppellauten steht **nie** ss. ✱

Satzglieder

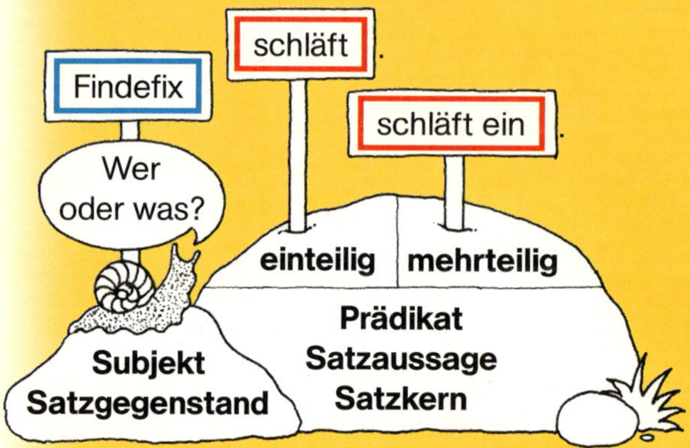

Einteiliges Prädikat

Sterne leuchten.

Scheint die Sonne?

Mehrteiliges Prädikat

Der Stern wird leuchten.

Ist der Mond aufgegangen?

Objekt im Dativ

Die Kinder lauschen dem Märchenerzähler.

Wer glaubt ihm?

Objekt im Akkusativ

Er erzählt seltsame Geschichten.

Niemand kennt sie.

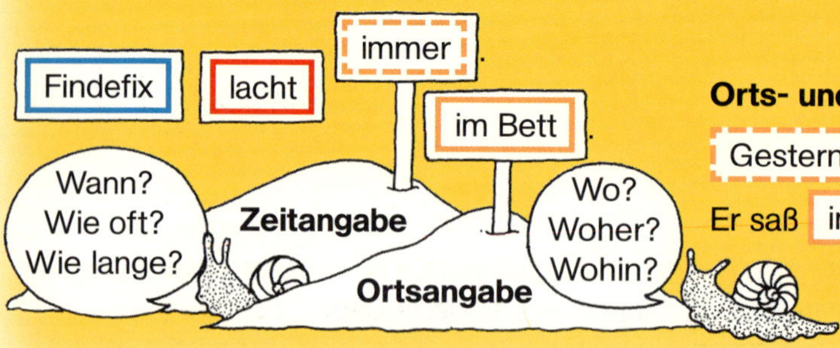

Orts- und Zeitangaben

Gestern sah ich einen Frosch.

Er saß in einem Loch.

am Satzende

Punkt .

Ich habe viele Freunde. Gestern rief Sandro aus Spanien an.

Fragezeichen ?

Wie viele Freunde hast du? Kennst du auch Kinder aus anderen Ländern? Wie heißen sie?

Ausrufezeichen !

Das ist eine tolle Idee! Herzlichen Glückwunsch! Superwitzig! Mach keinen Quatsch! Komm mit!

im Satz

Komma ,

Die meisten Kinder essen gern Erdbeeren, Äpfel, Trauben und Kirschen. Fleckige, matschige Äpfel mag niemand.

Mein Hund bellt, weil er sich freut. Das kannst du sehen, denn er wedelt mit dem Schwanz. Mein Hund, ein junger Dackel, hüpft dabei hin und her.

Doppelpunkt :

Wir suchen im Atlas diese Meere: die Nordsee, das Mittelmeer und das Schwarze Meer.

Gedankenstrich –

Meine Tante – das hatte ich ganz vergessen – kommt heute zu Besuch.

Er mag alle Tiere – besonders Pferde.

Klammer ( )

In den Ferien habe ich mit vielen Kindern (aus Frankreich, Italien und der Schweiz) gespielt.

Aus einem Wörterbuch: Grille (Insekt)

Satzzeichen zur wörtlichen Rede: siehe Seite 210

Hilfen zum richtigen Schreiben

1 Beachte die Wortart: Namenwörter (Nomen) werden großgeschrieben.

Die meisten Namenwörter (Nomen) kannst du in die Einzahl und Mehrzahl setzen.

Alle Wörter mit den Wortbausteinen

-ung
-nis
-heit
-keit
-schaft

sind Namenwörter (Nomen).

2 Sprich beim Schreiben leise, aber deutlich mit.

3 Denke an verwandte Wörter oder an die Grundform.

B**äu**me – B**au**m
w**ä**rmer – w**a**rm

er wo**ll**te – wo**ll**en

er mer**k**te – mer**k**en

4 Verlängere das Wort, um herauszufinden,
ob es am Ende mit **d** oder **t**,
g oder **k**,
b oder **p** geschrieben wird.
Erst beim verlängerten Wort kannst du dies hören.

5 Höre auf den betonten Selbstlaut im Wort.

Schreibe doppelte Mitlaute
nur nach einem kurzen Selbstlaut.